PROGRAM
OR BE
PROGRAMMED

ネット社会を生きる10ヵ条

ダグラス・ラシュコフ

翻訳：堺屋七左衛門

VOYAGER

日本の読者のみなさまへ

太平洋をはさんで、私たちは長い間、文化というボールを交互に打ち合うテレビゲーム"PONG"をしながら会話をしてきたような気がします。ディズニーから手塚治虫へ。ソニーからアップルへ。グーグルからソフトバンクへ。とても楽しい会話が続いてきました。しかし、ネットワークの時代になって、人類の今後の運命を自分たちで決めるためには、私たちが一緒に力を合わせなければなりません。この本に書かれたすべてを私からの招待状として、日本のみなさまへお送りします。

私たちは自分の都合に合わせて技術を生み出します。しかし、次の瞬間から、技術は人間の将来を決めるようになります。人間は電話を作り出しましたが、それ以後は、人と人とのコミュニケーション、ビジネス、世界への認識は、電話に影響を受けています。また、人間は自動車を発明しましたが、その後、都市は自動車交通に適するように造り変えられ、また、国際情勢は産油国の化石燃料に左右されるようになりました。

この原理は、鉛筆から経口避妊薬まで、さまざまな技術にあてはまります。しかし、コンピューターやアルゴリズム、人工知能（AI）に関しては、問題がさらに複雑になっています。これらの技術は、発明された後、人間に影響を与えるだけでなく、技術が技術に影響を及ぼすことにもなるのです。最初に人間がコンピューターに目標を与え、その目標を達成するために必要なデータもすべて示します。それを行った時点以後、人間は、人工知能（AI）がどのように情報を処理しているか、また、どのように戦略を修正しているかを完全には知ることができません。コンピューターも、その内容を説明できるように意識して動作しているわけではありません。あらゆることを試してみて、うまくいく方法を選んでいるだけです。

一つ例をあげてみましょう。研究者の調査によれば、ソーシャルメディアのプラットフォームは、ユーザーにその人の元恋人が楽しんでいる現在の写真を見せようとする傾向があるということです。実際にはユーザーは、そんな写真を見たいと思っていません。しかし、アルゴリズムは、あれやこれやと試みた結果として、元恋人が楽しんでいる写真を見せるとユーザーの反応が増加することを発見しました。私たちは、元恋人の近況を知ろうとして、その写真をクリックしてしまいます。それで恋人が新しいパートナーを見付けているのを知れば、嫉妬してもっと写真を見ようとするからです。アルゴリズムは、なぜそうなるのかわかりませんし、気にもしていません。ただ、人間から命じられた評価基準を最大化しようとしているだけです。

だからこそ、人間がコンピューターに最初に与える指示は、とても重要なのです。その指示に込められた人間の価値観（たとえば、効率、成長、安全、法令遵守）は、コンピューターがどんな手段を使ってでも達成するべき目標になります。人工知能（ＡＩ）は、誰も理解できない、人工知能（ＡＩ）にも理解できない方法を使います。そして、より良い結果を生み出すためにその方法を改良し、さらにそれを改良する、ということを続けていきます。ハンマーにとっては、あらゆるものが釘に見えます。コンピューターにとっては、あらゆるものが計算するべき対象に見えるのです。

人間のかかえるさまざまな問題について、技術が万能の解決策になると考えてはいけません。そのように考えていると、私たちは、機械を人間に合わせるのではなく、人間を機械に合わせようとしてしまいます。人間や組織が失敗するたびに、使用したアルゴリズムが適当ではなかったとか、その修正が不十分だったと考えてしまいます。

技術によって問題を解決できるという前提に立っていると、特定の方針だけを重視する結果になってしまいます。その技術で対応できる範囲のことは改善しますが、その技術で対応できない問題は、無視したり後回しにしたりしがちです。それでは不均衡が生じます。解決できることだけに資金や努力が使われ、解決策に資金を提供できる人が重要視されます。このようにして現在では、清潔な水を得るためにはたらく人々よりも、ソーシャルメディアで提示される記事の説得力向上のためにはたらく人々のほうが多くなっています。私たちは、技術で可能なことを中心にした世界を構築しています。

私がこの本で述べたかったのは、たいていの技術が、もともとは単なる道具だったということです。最初は私たちのニーズを満たすために存在していて、私たちの世界観や生活様式と矛盾するものではありませんでした。それどころか、人間の従来の価値観を表現するために、その技術を使っていました。飛行機を発明したおかげで、人間は空を飛べるようになり、遠くまで行けるようになりました。無線機を発明したおかげで、空間を越えて声を届けられるようになりました。初期の段階では、世界に与える影響は、その技術の本来の目的を達成することでした。

しかし、技術が世界に浸透してくると、私たちは、世界を技術に合わせようとします。道路を横断するときには、自動車にはねられないように注意する習慣ができます。送電線を敷設するために、森の樹木を伐採します。あるいは、今まで家族の会話に使われていた部屋をテレビに明け渡します。このように技術は、調整や妥協を押し付けてきます。

技術は人間の価値観を構成する前提条件になります。他のさまざまなものがこの前提から生み出されます。文字が使われている世界では、文字が読めないことは知識がないのと同じです。成文化された法律は、神の言葉と同じようなものです。コンピューターによって定義される世界では、速度と効率が重要な価値になっています。進歩した技術の受け入れを拒否することは、社会的規範を拒否するのと同じです。病弱かつ無力で頑固な人間でありたいと言っているようなものです。

シリコンバレーの多くの開発者や投資家にとっては、人間はお手本にしたり賞賛したりする存在ではなく、乗り越えるべき、あるいは、改造して作り直すべき対象なのです。このような技術者たちは、デジタル革命の価値観にとらわれているので、優先順位の考え方が自分とは異なるモノや人は、障害物または邪魔者だと思っています。これは、明らかに反人間的な立場です。そして、世界中の大企業の開発方針でもあります。

人間は問題そのものではありません。人間が問題を解決するのです。私たちが技術の支配権を取り戻すことによってのみ、みんなが一緒に繁栄する未来を築くことができます。その道程を進むための10ヵ条のヒントをどうぞご覧ください。

多大なる敬意と感謝をこめて

2020年5月5日

ダグラス・ラシュコフ

目次

序　章

私は過去を振り返る

Introduction

私は過去を振り返る

人間が言葉を獲得したとき、聞くことだけではなく、話すことも身に付けました。文字を獲得したとき、読むことだけではなく、書くことも身に付けました。そして、世界がデジタルへと進んでくると、それを使う方法だけではなく、プログラムを作る方法を身に付けなければならなくなりました。

これからさらにプログラム化が進む状況になれば、あなたはソフトウェアを作る立場になるのかソフトウェアに組み込まれてしまうか、このどちらかでしょう。プログラムするか、プログラムされるか、ということです。前者を選択すれば、文明のコントロールパネルを操作することができます。後者を選択すれば、それが自分の意思で行う最後の選択になるかもしれません。

デジタル技術は、過去のさまざまな経緯による自然な成り行きとして、従来の技術と著しく異なっています。コンピューターやネットワークは、単なる道具ではありません。それ自体が生物のようなものです。ほうきやペン、あるいは削岩機と違って、デジタル技術はプログラムされています。デジタル技術にプログラム命令が付随しているのは、それを使うためだけではなくデジタル技術自体のためでもあるのです。デジタル技術が将来の生活様式やはたらき方に影響を及ぼすようになると、これからの世界では、プログラムする人たちが重要な役割を果たしていきます。さらにその後には、デジタル技術そのものが私たちの世界の方向性を決めるようになるでしょう。

だからこそ、今が重要なのです。私たちは、今、人間全体の将来の設計図を作っています。社会、経済、実務、芸術、さらには精神の進歩の可能性は、きわめて大きいものです。言葉は、文明という伝承能力を人間にもたらしましたが、それと同じように、ネットワーク化された行動はやがて人間に思考の共有をもたらすでしょう。それは、今日の大部分の人にはまだ想像も付かないような人間の意識が拡張された世界です。商業や文化における基本的な行動原理、すなわち需要と供給あるいは指揮と統制は、より深い関係を持って協調的に参加する形に変わっていくでしょう。

現状では、デジタルネットワークは予測できない反応をすると多くの人が考えています。さらには、人間の意図とは逆の反応をするとまで考える人もいます。

小売業者はオンラインに進出しても、価格比較サイトによって自社価格よりも安い業者に客を奪われます。文化のクリエーターは、送り手からの一方通行ではなく受け手からの反応も受け取る双方向配信チャネルを確保しましたが、今までのようにコンテンツに喜んでお金を払ってくれる人が増えないことに気付きます。教育者は、授業で世界中の豊富な情報にアクセスできると期待しましたが、ウィキペディアで答えを見付けることが問題に対する満足な解答だと考えている学生に直面します。親は、子どもが職業上の成功に向かって本能的にマルチタスクで勉強すると思っていましたが、今では、一つのことにすら集中できない落ち着きのない子どもの姿に心配をしなければならなくなりました。

政治活動の指導者は、インターネットが支持者を結集してくれると思っていましたが、現実は、ネット署名運動や宣伝ブログが政治活動に取って代わっていることに気付きます。若者は、ソーシャルネットワークによって自分自身の存在意義を見直す、あるいは既存の枠にとらわれることを見直す可能性を感じていましたが、今では、ソーシャルネットワークの論理に合わせて行動するようになり、自分が人身攻撃の対象に、そして販売業者の被害者になっていることに気付きます。銀行家は、停滞する産業化時代の経済をデジタル企業家精神によって復活させようと思っていましたが、資本投資では新しい価値を生み出せないことに気付きます。報道機関は、情報ネットワークが市民ジャーナリズムになり、また即応性のある24時間体制のニュース報道になると思っていましたが、現状は、扇情主義的で、儲からない、そして有益な事実のないものになってしまいました。

教養のある一般人は、今まで閉鎖的だったメディアや社会の分野に、アマチュアが参加するネットによって新しい可能性が開かれると思っていましたが、実際には、あらゆるものが見境なく混ぜ合わされていて、理解するのに少しでも時間がかかるものは、がなりたてる下品な力に押し流される状況になっています。社会やコミュニティーのリーダーはソーシャルメディアについて、人々が集結して意見を表明しボトムアップの変化を起こす新しい安全な手段になると思っていましたが、ネットワークを活動の本拠とする匿名の多くの人々が暴徒化し、容赦ない攻撃と軽率な反応をひき起こしていることにたじろいでいます。

社会は、インターネットが高度なつながりと新しい意味を生み出す手段だと思っていましたが、実際には深い思考は分断されて否定され、永続的価値は押し流されています。

このような状況になることは、必然ではありませんでした。私たちが使っている技術の傾向を学びとって、技術の利用形態に注意を向ける参加者になっていれば、こんなことにならなかったでしょう。

集中よりも分散、熟慮よりも無意識、同情よりも反発のほうが好まれるネットワーク化された未来に直面しているところで、一時停止ボタンを押してください。私たちの仕事や生活の、さらには人類全体の未来にとって、これらすべてがどのような意味を持つのかを問いかけるべき時期なのです。この問題は、人類が過去に他の大きな技術的変革を経験したときに向き合った問題と同じように見えるかもしれません。今回はさらに深刻であり、より直接かつ意図的に対応するべきものです。

ここでまだ認識されていない大きな問題は、マルチタスクとか、海賊版のMP3音楽ファイルとか、あるいは投資会社の超高速コンピューターが株式取引の抜け道をくぐるとかいうような個別の事象にかかわるものではありません。その大きな問題とは、思考というものがもはや個人的行動ではない、あるいは、少なくとも個人だけの行動ではなくなったということです。思考は、ネットワーク化された新しいものになっています。現状の思考をつかさどるサイバー有機体は、新しい集合的な頭脳というよりは、サイバー暴徒のようなものです。人間は、コンピューターネットワークの外部に配置された神経系に格下げされてしまいましたが、その一方でコンピューターは自由にネットワークを構成して、今までの人間以上に進んだ方法で思考しています。

人類が、ネットワーク化された機械とともにこの変化に対応しようとするならば、人間は、仕事、学校、生活、そして究極的には神経系までも、この新しい環境に合わせた大規模な再構築に向き合わねばなりません。「内的生活」というものは、枢軸時代（訳注：紀元前500年頃を中心として世界各地で思想上重要な出来事が起こった時代）に始まりましたが、それが本当に認識されたのは、ルネサンス時代になってからのことです。「内的生活」という概念は、人間を成長させる役割を果たしてきましたが、ここで、全く新しい形の集合的活動や人間以外の活動を含むように定義を拡大しなければなりません。多くの人にとってそれは不快なものです。けれど新しい形の関与を拒絶すれば、人間の行動および心理は、ますますネットワークの偏向と計略に影響を受けるようになります。そもそも、人間はそのネットワークの中に組み込まれていることに全く気づいていません。

抵抗は無駄です。人間の身の丈に合った規模で起こっている個人的経験を放棄するのも無益なことです。人間は、個々の経験から完全に切り離されて動作しているハイブマインド（訳注：集合精神＝複数の個体が一つの意識を共有している状態）ではありません。新しいサイバー秩序の中にも、人類、すなわちあなたや私の居場所はあります。人間はそのような重大な変化を今までにいくつか経験してきたということは救いのように思われますが、人間はその変化を常にうまく利用できませんでした。

長い歴史を振り返ってみれば、メディアの変革が発生するたびに、人間は人間と世界とを結び付ける全く新しい視点を得てきました。言葉は、学習の共有、経験の蓄積、進歩の可能性をもたらしました。文字（アルファベット）は、責任、抽象的思考、ユダヤ教などの宗教、契約法をもたらしました。印刷機および個人的読書は、個人の新しい経験、神との個人的な関係、宗教改革、人権、啓蒙思想をもたらしました。新しいメディアが出現すると、現実は、精査されるだけでなく、創造のための新しいツールを手に入れた人々によって、変更され、書き換えられました。

残念ながら、そのようなアクセスができるのは、通常は少数のエリートだけに限られています。枢軸時代に発明された22文字のアルファベットによって生まれたのは、識字能力のある古代イスラエル人読者の社会ではなく、町の広場に集まって、ラビ（ユダヤ教の指導者）がトーラーを読むのに耳を傾ける聞き手の社会でした。確かに、無知な奴隷でいるよりは良いことですが、メディアの真の潜在的可能性に比べるとはるかに不十分な能力しか得られませんでした。

同様に、ルネサンス時代の印刷機の発明によって生まれたのは、書き手の社会ではなく、読み手の社会でした。しかも、印刷機の使用がすでに権力を持つ人々のために限られる場合には、人々は自由に読むことができず、権力者が伝える情報を文字として受け取るだけのことしかできませんでした。ラジオやテレビの放送は、実際には印刷機の延長線上に過ぎません。中央の少数のエリートが物語やアイデアを大衆に伝達することを促進する高価な1対多のメディアでした。私たちは、テレビを作っていません。見ているだけです。

コンピューターおよびネットワークは、ついに私たちに書く能力をもたらしています。私たちはそれを使って、ウェブサイト、ブログ、ソーシャルネットワークに書いています。しかし、コンピューター時代の基礎となる能力は、実際にはプログラミングなのです。ほとんど誰もその方法を知りません。すでに作られたプログラムを使って、画面上の適当なボックスの中に文章を入力しているだけです。私たちは、子どもにソフトウェアを使って書く方法を教えていますが、ソフトウェアを書く方法を教えてはいません。子どもたちは、他人から与えられた能力にアクセスしているだけであって、この技術の価値創造力を自分で見きわめる力を得ているわけではありません。

メディア革命を経験した時代の人々と同じように、今の私たちはこの時代の新しい技術およびリテラシーの機能や影響を本当に理解しないまま、それを受け入れてしまいました。したがって、私たちも、実際にもたらされた能力から一歩遅れた状態にとどまっています。限られた一部のエリートは、もたらされた新しいメディアを完全に活用する能力を手に入れますが、残りの人々は一つ前のメディアがもたらした能力を得ることで満足しています。ラビが読んで、人々はそれを聞きます。印刷機にアクセスできる人が書いて、人々はそれを読みます。今日では、私たちは書きますが、テクノエリートはプログラムします。その結果、いずれの場合もその時代のメディアが持つ本来の能力へのアクセスを独占する少数の人に比べて、社会の大部分は、認識および能力の面で完全に1段階遅れたところにとどまっています。

今回は、危険度はさらに高くなっています。以前は、失敗すれば、私たちの権限を新しいエリートに譲り渡す結果で終わりましたが、デジタル時代には、失敗すると、人間全体が持つはずの新しい力を私たちの手から機械へと引き渡してしまうでしょう。その過程は、すでに始まっているように思われます。

結局、デジタル革命の本当の対象は、誰でしょうか。または、何でしょうか。私たちは、新しい方法でコミュニケーションする能力を身に付けた個人またはグループに驚嘆するのではなく、この出来事が起こっている場としてのツールに驚嘆しています。ラジオ、映画、テレビで、私たちは主演するスターを賞賛していましたが、このメディアにおいては人間のスターではなくて、画面やタッチパッドそのものに魅力を感じています。同様に、仲間とのつながりを楽しむよりも、新しいピカピカのタッチパッドを所有することを切望し喜んでいます。新しい能力を得ようとするのではなく、新しいおもちゃを崇拝しています。

一方で、新しいツールを私たちの生活に取り入れることよりも、単に所有することだけを考える傾向があります。企業は、ソーシャルネットワークに資金をつぎ込んで、それがデジタル時代の販売方法だと思っています。新聞は、自分の意思からではなく、必要に迫られてやむを得ずオンラインに進出して、ほとんどの場合、悲惨な結果を招いています。同様に、教育委員会は、教育の向上というよりも、そうしなければ生徒が何かを得る機会を失うと思ってパソコンの授業を導入します。私たちの生活にどのような影響があるかを考えることよりも、それを使うために何をしたか、どれだけの投資をしたか、ということで得意になっています。一体、誰がその影響について考えているのでしょうか。

結果として、機械を人間に合わせて最適化するのではなく、私たちは人間を機械に合わせて最適化しています。そこで、言語、文字、印刷に取り組んだ私たちの先祖と同程度、またはそれ以上に、今、私たちがどのような選択をするか、または、しないかが重要になります。

違っているのは、もたらされた能力、つまりプログラミングというものの性質です。私たちは、新しい言語やコミュニケーション手段を使って、人間の力を拡張しようとしている……そんな単純なことではありません。外部にある人間以外のメカニズムによって、私たちの認識という能力そのものを複製しようとしているのです。このようなツールは、ある個人またはグループの意思の拡張というだけでなく、考える能力があり、さらにはコンピューターネットワークという神経系の構成要素、すなわち人間を操作する機能を持っています。もし人間がこの活動に参加したいのであれば、人間の能力を再構築する必要があります。それは、かつての文字を持たない種族を十分に成熟した文明人にまとめ上げるはたらきをした、古代イスラエル人が生み出した新しい人間の行動規範に相当しますが、実際にはそれ以上に重要なものです。トーラーは、単に文字の副産物というだけではなく、高度に抽象化された文字をベースにした社会を扱う倫理規範であり、その後の二千年にわたる時代の性格を決定するものでした。

このような概念を法律にまで高度化した昔の偉業の代わりに、今回の場合、私たち人間は、人間的な観点での目的と価値というものを、現実的にかつ強力に生かしていく必要があります。

新しい技術に対処するために過去に策定した戦略はもはや役に立ちません。現在のコンピューターによる革命が、過去に想定していた未来の衝撃と同じように見えたとしても、従来の戦略は役に立たないのです。

たとえば、人間の思考の一部を身体の外にある機械に行わせると考えたときの不安感は、ほぼ間違いなく、産業革命時代の機械が人間に成り代わるという危機感をコンピューター時代に置き換えたものです。産業革命の時代には、人間の身体の範囲を考え直させられました。どこまでが私の身体なのか、どこからが道具なのか。デジタル時代には、人間の精神の範囲を考え直させられます。どこまでが私の認識なのか。以前は、機械が人間の労働の価値を代替して侵害しましたが、コンピューターとネットワークは、人間の思考の価値を侵害する以上のことをしています。人間の知的プロセスを阻止、言い換えるなら、繰り返し可能なプログラムをコピーするだけでなく、より複雑なプロセスである、高度な認知、熟慮、革新、解釈を阻止しようとしています。これは、そもそも、人間が計算をシリコンチップに「アウトソーシング」した代償なのでしょう。

これらすべての問題を解決する方法は、その「思考する」機械や「思考する」システムがどのようにプログラムされているかの概要を知ることです。あるいは、プログラムの方法やその理論について知ることです。

パーソナルコンピューティングの最も初期を振り返ってください。電卓の動作原理は知らなかったかもしれませんが、電卓が何をしているのかはわかっていました。ある数と別の数の足し算をする、平方根を計算する、というようなことです。コンピューターやネットワークの場合は、電卓と違って私たちがコンピューターに何をしてもらいたいのか、さらには、そのためにコンピューターが何をしているのか、私たちはわかっていません。Google検索は、大部分の人にとっては、外から見えないブラックボックスに何かを要求して、データの世界に向けてロングパスのボールを投げているようなものです。それは、どのようにして関連性を判定するのでしょうか。どのようにして結論を出すのでしょうか。それを実施している企業は、なぜ説明できないのでしょうか。私たちが機械について知らないことによる影響は、あまり検討されずに放置されています。人間の衰退が見えているときに、装置の動作原理や人間に対する影響について、ほとんどあるいは全く理解しないまま、人間は新しい技術を生活に取り入れ続けています。

私たちは、コンピューターをプログラムする方法を知りませんし、気にもしていません。その代わりに、多くの時間とエネルギーをつぎ込んで、プログラムを利用することによって他人をプログラムに組み入れる方法を見付けようと努力しています。これは、もしかするととんでもない誤りかもしれません。

以前、十分な知識のない人々に対するデジタルの効能を絶賛していた一人として、私は過去を振り返ります。何かのシステムをよく考えず拙速に採用してはならないと思います。それは、取り返しがつかないと言っても良いでしょう。デジタルではなく、人間を賞賛する側に立つ私たちも騒ぎすぎています。デジタル化社会をほめたたえるテクノリバタリアンと同程度かつ逆方向の力として、私たちは、技術が人間のつながりを分断する可能性があると思い込んでいます。この両極端の考え方と予想は、考え過ぎているのではなく、考えが足りないことの現れです。これは、イエスかノーか、真か偽か、というように考え方をデジタル的に整理することを強要する思考機械の産物です。以前は、このような場合に性急に決め付けずに長期的に思考していました。今では熟慮の価値が低下しているのです。

今必要とされているこの持続的な思考は、人間の脳の内部で起こる真の熟考です。技術を支持する群衆にとってはエリート主義のように見えるかもしれませんが、一人だけで、または自分で選択した少人数のグループで考えることで生まれるものです。デジタル時代になっても、自由とは誰とどのように考察を行うか選択できることであって、あらゆるものを全世界に向かって「コメント可能」「著作権放棄」で投稿することではありません。このような違いがわかっていなかったり、あるいは、ポリティカルコレクトネス（訳注：差別や偏見を防ぐために政治的、社会的に公正中立な言葉や表現を使用すること）に反する可能性があったりして、私たちは窮地に追い込まれ、有意義で持続的で制約のない議論ができなくなっています。私たちは、真の熟考を失う危険にさらされています。ネットの能力がいかに幅広いものであっても、ネットは、真の熟考を守るための活力や場所を人間に与えてくれません。

私たちは、多くの問題がデジタル時代によって発生していることに気づいています。まわりで起こっている技術の進化に対して、人間が介入して対処する必要があります。現在の世界は、私たちが生まれ育った時と比べて大きく変化しています。その違いは、アルファベットという文字の世界と、その千年前から続いた口述の社会との差よりも大きいものです。当時の社会の変化とは、規範となるトーラー（聖書）やタルムード（ユダヤの律法集）を成文化することで、人々が文字の時代を生きるための準備をしたことです。それと同じように、今経験している変化を成文化して、私たちを導く新しい倫理、行動、ビジネスの基準を策定する必要があります。今度こそは、実際に役に立つものにしなければなりません。

本当に変化の時代に私たちは生きています。経済を二度にわたって崩壊させ、教育や娯楽の方法を変化させ、人間関係の基礎を変えてしまった時代にです。しかし、何が起こっているか、どのように対処すればよいかについて、今のところ私たちはほとんど理解できていません。私たちを救うことができるはずの頭の良い人たちは、企業のコンサルティングに忙しく、デジタルの津波に直面して揺らいでいる大企業による独占を今後も維持する方法を教えています。それ以外のことを考える時間がある人はいるのでしょうか。そして、誰がそれにお金を出すのでしょうか。

しかし、今すぐ議論を始めるべきです。そこで、デジタルメディアに関する論考であるこの拙稿を受け取ってください。デジタル世界で道を切り開くのに役立つ、10ヵ条の平易な心得です。それぞれの心得は、デジタルメディアの傾向または偏向に基礎をおいて考えようとしたものであり、現実世界および仮想空間で、場合によってはその両方で同時に生活しはたらく人々のニーズとデジタルメディアの偏向とのバランスをとる方法を示しています。

偏向とは、要するにかたよっていること、すなわち、ある行動を他の行動よりも奨励することです。あらゆるメディア、あらゆる技術には偏向があります。「銃が人を殺すのではなく、人が人を殺す」という文言は正しいのかもしれません。しかし、銃は、たとえば時計付きラジオよりも殺すことに偏向した技術です。テレビは、人間がソファーに座ってそれを見るということに偏向しています。自動車は、移動、個別性、郊外生活に偏向しています。口述の文化は、個人でのコミュニケーションに偏向していますが、文字の文化は、同じ時間に同じ場所にいる人どうしではないコミュニケーションに偏向しています。フィルムによる写真およびその高価なプリント工程は、希少性に向けて偏向していましたが、デジタル写真は、即時性と広範囲への配布に偏向しています。一部のカメラは、自動的に写真をウェブサイトにアップロードすることができ、シャッターボタンを押すことが世界中への情報発信になっています。

しかし、大部分の人にとっては、結果が非常に異なっていても「押す」ことそのものは今までと同じように感じられます。技術が別の技術になっても、また、作業が別の作業になっても、偏向が常に持っている変化は感じにくいのです。電子メールを書くことは、手紙を書くのと同じではありませんし、ソーシャルネットワーク経由でメッセージを送ることは、電子メールを書くのと同じではありません。それぞれの行動が異なる結果を生み出すだけでなく、そのときの気持ちや取り組む方法も異なります。異なる状況では思考や行動が異なるのと同じように、異なる技術を操作するときには、思考や行動が異なります。

人間が世界とかかわりを持つためのメディアの偏向を理解することによってのみ、人間の意図と、使用する機械の人間に対する意図との違いを知ることができるのです。

第1章　時間

常時オンをやめよう

I. TIME

Do Not Be Always On

常時オンをやめよう

人間の神経系は、常に現在だけを認識しています。私たちは、連続した「今」に生きていて、時間は常に過ぎ去っています。一方で、デジタル技術は、時間とは全く無関係に存在しています。時間をベースにした人間の身体や心と、時間に反する形で偏向している技術とを結合させると、人間は、その存在の基礎となっているリズム、周期、連続性から切り離されることになります。

初期のネットの利点は、時間と無関係であることでした。

会話は、掲示板上で数週間または数か月かけて行われました。インターネットを利用するためには、まず、パソコンを電話線に接続し、次に、モデムを使ってサーバーに電話をかけます。この作業には時間がかかるだけでなく、インターネットに接続することは自分の意思で、自分の判断で行われていました。生活の大部分はオフラインで過ごしており、特別なひとときあるいは夜の数時間だけをネットに接続して、ファイルを探したり、会話に参加したりしていました。

全員が別々の場所で別々の時間にログインしていたので、大部分のオンラインでの活動は、いわゆる「非同期」でした。すなわち、通常の会話や電話のように相手と自分が同じ瞬間に存在してリアルタイムで話しかけたり返事をしたりするのではなく、このオンラインの会話は、手紙をやりとりする状況に近いものでした。ここで言う「オンライン」はリアルタイムとはかなり違っています。ネットに接続すると、自分が参加している会話を見つけて、昨夜から今夜までの間に発生したすべての投稿を読みます。全員の返信を読み終えたら、何か追加するかどうかを決めます。その場で書くか、または、返信をオフラインで書いてから後で、あるいは翌日の夜に再接続して投稿します。

このような話し合いは、郵便でチェスをするような感じでした。急ぐことはありません。会話は非同期なので、発言内容をじっくりと考えるというぜいたくな余裕がありました。ネットは、面倒な現実世界の仕事や、子どもや、自動車に煩わされずに、討議や熟慮ができる場所でした。オンラインでの活動は、リアルタイムでは発生しないので、私たちには十分な時間がありました。返信する前に、時には丸一日でも、しっかりと考えることができたのです。

このことから深いつながりが生まれ、多くの人が今まで経験したことのない協力の精神が発達しました。激しいやりとりであってもスムーズに進行しました。争っている人たちは、ただ暴言を吐くのではなく、冷静になるための時間があって、最適な反論を考えることができました。対話の目的は対話そのものになり、集団で問題に取り組むという新しい形のモデルができました。したがって、当時の多くの人が、インターネットは世界の紛争や困難な対立の万能薬になると思っていたのも当然なことでした。

この集団的な取り組みとしっかりと手順化された行動が、デジタル世界の基礎となるプログラムやコードと完全に一致しているのは、驚くべきことではありません。デジタル技術には、時間から離れて、お互いが非同期になっていく偏向があります。多くの点でコンピューターが人間よりもはるかに速く考えるので、オペレーティングシステムは、お互いを同期させて進めるようには設計されていないのです。

コンピューターは、新しい命令をほとんど瞬時に受け入れることができます。しかし、人間がキーボードからコマンドを入力する長い時間を待っている場面もあります。したがって、プログラマーは、コンピューターが時間とは関係なく動作するように設計しました。確かに、すべてのコンピューターの裏側ではクロックが動作していますが、コンピューターは、時間の経過とは関係なく命令を受け入れます。

時間に応じて動作するのではなく、コンピューターは、判断から判断へ、選択から選択へと動作します。私が何か二つの文字を入力するとき、その文字と文字の間の時間には、何も起こりません。コンピューターに関する限り、二つの単語が同じ綴りであればそれらは同じものです。前者は1秒で入力し、後者はたっぷり1分かけて入力したとしても違いはありません。機械は、次のコマンドを待って、次のコマンドを、さらに次のコマンドを待ちます。コマンドとコマンドの間の経過時間は、数日かもしれませんし、ミリ秒かもしれません。

コンピューターの命令は、連続的な時間に反する偏向があります。それを基礎とするプログラムも、さらにはプログラムによって発生する人間の行動も、時間と無関係になります。デジタル世界での人間の行為には、すべて、時間と無関係であることによる利点と欠点の両方があります。

おそらく、インターネットにおける最初の本当の「キラーアプリ」が電子メールだったのは、そのせいでしょう。当初、電子メールは、手紙の代替品というよりも、電話の代わりに使われました。通信相手本人が家にいるのをこちらから発見してつかまえるのではなく、電子メールは、相手が望んだときに、つながるものだったのです。電子メールは、通常は、1日に1回か2回、多くの場合、仕事の前と後にチェックするものでした。

電話は、連絡を取りたい誰かが突然に鳴らして、日常の時間を中断させますが、電子メールは、こちらが読みたいと思ったときにチェックします。そして、こちらの都合に合わせて返信することができます。すぐに返信できない場合には、後で戻ってきて返信できます。

電子メールや電子会議室の根底にある非同期の姿勢は、当時の私たちには明確なものでした。なぜならば、このツールがうまく機能する状況をみんなが理解して受け止めていたからです。その頃は、電話代がまだ高価で、ネットへの接続にも時間に応じた料金がかかりました。したがって、パソコンをネットに接続して、サーバーにログインし、見たいものをすべてダウンロードした後、ログオフして接続を切っていました。多くの場合、オフラインの状態で返信を書き、そして、次にインターネットに接続したときに、電子メールを送ったり、書いておいたコメントを投稿したりしました。

それは、遅かったのでしょうか？　おそらくそのとおりです。しかし、これは、技術の動作の基本的な考えが、リアルタイムで相手と同期してコミュニケーションするものではないという偏向を反映したものでもあります。方法、および技術のリアルタイムコミュニケーションに反する偏向を正確に映し出しているのです。その強みは、「今」との関連性ではなく、「今」という時間の進行速度を低下させたり、「今」を分断したりする能力だったのです。

お互いがそれぞれにコミュニケーションの手段を持つという双方向への欲求は、コンピューターが生活に入ってくる以前から存在していました。時間に縛られたくない、時間を分断したいという願望と結びついていたのです。ほとんどの人にとって初めて手にした双方向機器は、テレビのリモコンでした。単に、テレビ番組が終わったときにチャンネルを変えられるというだけでなく、私たちは、リモコンを使うことによって、番組の途中でもチャンネルを変える手段を手に入れました。リモコンは、番組の、さらにはコマーシャルの持つ物語性までも、自分の手で違う形に再構築することにもつながったのです。

双方向性を得るまでの私たちは、広告主から見れば、防御手段を持たない標的でした。広告主は一方的に展開する広告の物語から、私たちを離れられないよう、釘付けにしておけたのです。テレビのコマーシャルを考えてみてください。どれも同じようなものです。ある人が面倒なトラブルに巻き込まれて、商品がその人を救出する。高校のダンスパーティーの直前になって、少女にニキビができます。ニキビを取り除くためにあらゆる対策を試しますが、状況は悪化する一方。もう手段がなくなったと思ったとき、奇跡のクリームを発見します。それがよく効いて、ボーイフレンドが現れ、幸せなダンスパーティーを楽しみます。

次々とつながっていく物語の連鎖を使って、視聴者は、緊張状態に置かれます。語り手、すなわち広告主だけが解決策を持っており、緊張から解放されるために、私たちは、語り手の答えである広告主の商品を受け入れなければなりません。自分を不安にさせている人が友達ではないこと、つまり、テレビで放映されているのは「番組編成（プログラミング）」と呼ばれるものであるということに私たちは気づいていたのかもしれません。しかし、私たちは、比較的弱い立場にあって、対抗できる策があるとすれば、テレビを見ないことくらいでした。

リモコンができる前は、強制された不安感から逃れる唯一の方法は、膝の上のポップコーンをどけて、リクライニングチェアから立ち上がって、手でチャンネルを変えることでした。もしかしたら、ウサギの耳のようなアンテナの向きを調整する必要があったかもしれません。不安よりもその手間のほうが大きいので、コマーシャルの間、座ったままで耐えていました。しかし、リモコンができてからは、広告主の呪縛から逃れるのは容易になりました。親指をわずかに動かすだけで逃げることができます。リモコンは、それまで連続的だったメディアに不連続性をもたらしました。この不連続性、つまり物語の再構築は、私たちに一種の力を与えたのです。

これと同様に、ビデオの出現によって、番組を録画して後で見ることができるようになりました。デジタルビデオでは、それだけでなく、番組を「一時停止」したり、コマーシャルを早送りしたりできます。発展の各段階で、私たちは、デジタル技術の時間に無関係という偏向を利用して、時間の管理権を握っていきます。

メディアは、自分が大衆を「プログラム」できると自画自賛していましたが、今では人々の介入を受け入れるようになりました。社会に対するプログラミングだけを促進するのでなく、テレビには、社会の常識に疑問を投げかける役割もあります。サウスパークの悪ガキ、突っ張りコミック・キャラクターから、スティーブン・コルベアのような深夜の政治風刺家《や》まで、彼らは社会慣習を完全に変えてしまうのです。

デジタル時代の精神は、今でも、この時間を取り戻したことに表現手段を見出しています。カットアンドペースト、マッシュアップやリミックス、風刺やパロディーは、すべて、この一時停止、熟考、再加工できることから始まっています。

しかし、インターネット接続が高速かつ大容量で、より自由になるにつれて、私たちは、メディアに対して「常時オン」のことが多くなっています。自宅でも携帯電話でもブロードバンド接続が使えるようになり、アプリケーションは、常に更新して動作可能の状態を維持しています。いつでも誰でも何でも、メッセージ、電子メール、ツイート、更新、通知、警告を送ろうとして、机の上でパソコンのアラーム音を鳴らしたり、ポケットの中で振動したりします。今では、私たちの機器は、そして、その延長上にある私たちの神経系は、常時オンライン世界全体に接続されています。おや、今、振動しているのは私の携帯？

私たちは、際限なく続く要求や指令のアラームに何とかして対応しようと奮闘しています。しかし、自分がすばやく動いて対応しても、常にアラームを鳴らして通知が送られてくる状態から脱出することはできません。電子メールに返信したり、メッセージやツイートに応えたりすれば、その返事に対してより多くの応答が返ってくる状態が繰り返されて、問題を悪化させるだけです。

私たちは、同時に二つ以上のことに注意を向けてマルチタスクで実行しようとがんばっていますが、実際には、次から次へと迅速に作業を切り替えているだけです。マルチタスクが得意だと思っていても、人間は、複数のことを同時に実施しようとすると、正確性や完全性が低下するという研究結果[*1]があります。これは、デジタル技術の欠陥ではなく、それを利用する人間の問題です。

人間がインターネットに接続して電子メールを取得するのではなく、電子メールが私たちに向かってやってきます。私たちは受信箱を「非同期な」保管場所として使ってはいないのです。携帯電話の中に取り入れて、メッセージが届くたびにアラーム音を鳴らしたり振動させたりして、何かが注目を要求してくるのです。時間に無関係という技術の強力な偏向についていくのが困難な状況を作り出しています。私たちは、いつでもどこでも常に待受状態にしても大丈夫だと錯覚して、即時性という誤った目標のために、かつてデジタル技術がもたらした思慮深さや計画性を犠牲にしているのです。

その結果は、好ましいものではありません。能力や認識が拡大するどころか、ただ疲れきってしまっているのです。よく考えて応答をする時間はなくて、届いたすべてのメッセージに反射的に返信しなければならないように感じています。応答の長さや複雑さが減少して、段落から文になり、さらには略語になり、ほとんどすべての送信内容は、戦場のトランシーバーで叫ばれている命令のようになっています。あらゆることが迅速に、できれば今すぐに実行されなければなりません。「後で」ということがありません。時間に無関係というデジタルメディアの偏向に合っていませんし、人間の特性にも反しています。電話機のプログラミングによって人間の依存性や従順性を生み出す電話会社にとっては都合が良いのかもしれませんが……知っていましたか？　各種のアラーム音は、それぞれ人間の行動を誘発するように調査研究されているということを。

ネットが非同期メディアから同期メディアに変わったわけではありません。ネットはもともとずっと、時間とは関係なくコマンドが順序どおり存在しているだけです。しかし、最近はそのコマンドの数が一挙に増大し、かつ高速に人間に対して送られてくるようになりました。人間の思考や感情に合わない速度で対応を強いられるという、決して愉快ではない状況になっています。どんなに努力しても、人間はこの膨大な通知に、緩慢な対応しかできません。そして、人間の神経系はこんな状況を楽しいとは感じません。

以前は航空管制官や緊急電話オペレーターだけに見られたストレスや精神的疲労の兆候が、一般の人にも見られるようになってきました。携帯電話ユーザーは、「幻想振動症候群」に悩まされています。ポケットに何も入っていなくても、携帯電話が振動しているように感じられるのです。

しかし、この不快や不安のせいで、私たちはさらに多くを探そうとします。友人から重要なメールが、あるいは良い仕事の話が、未回答メッセージのどこかに埋もれているかもしれないという強迫観念にとらわれて、スロットマシンの前で条件反射によって行動しているギャンブラーのように、メール受信箱や iPhone を常にチェックしています。自分ではよくわからないで過ごしていますが、受信箱を迅速に空にすると、より速く受信箱は満杯になります。迅速に応答すると、次もその速さで応答してくれるだろうという相手側の期待が高まります。一連の電子メールがリアルタイムの会話のように続いていきますが、電話よりもずっと効率が劣っています。

もっとゆっくりと応答しませんか。強制されてネットを利用するのではなく、自分の都合に合わせて主体的にネットを利用していれば、画面の向こうにいる人からの尊敬を集めることができるはずです。けれども、残念ながら多くの人は、入ってくるデジタル通信と自分自身との関係を自分で決める権利があることに気づいていません。

最も単純な解決策は、常時オンをやめることです。デジタル世界に参加する、すなわちネットワークに接続することは、自分が選択していることであり、選択の結果として接続が行われているのです。自主的な行為なのです。誰と、何について、いつ連絡を取るかを自分で決めることができます。さらに言えば、常時オンでありたい相手を選択することもできます。家族からの電話は、四六時中いつでも受けるとしても、すべての人にそのようにオープンである必要はありません。特定の番号からの着信に対してのみ呼出音が鳴るように電話機を設定するのに要する時間は、連絡を取りたくない人からの電話への応答で無駄になっている時間と比べれば、ごくわずかなものです。

しかし、私たちは、時間に無関係というデジタルの偏向を無視して、追い付けるはずがないペースについていこうとしています。ネットワークの即座で連続した反応を現実生活でのすばやい動きだと勘違いして、それに、今、この瞬間に追い付くべきだと誤って認識しています。バックミラーに映る一瞬で過ぎ去る光景に追いすがろうとする運転手のようなものです。

このような生き方をしていると、本当の現在ではなく、デジタル技術が提示する現在を重視するようになります。検索エンジンは、ブログのコメントでもソーシャルネットワークのメッセージでも、あるいはツイートでも、指定した語句を含んでいて、最近の投稿に関係が深い結果を真っ先に表示してきます。重要なのは、それが吐き出されてから時間がたっていないということだけです。その結果を受けて、私たちは、関連性の高さより最近であることを重視するように仕向けられます。

メディア評論家や教育者は、ショートメッセージが脳の処理能力に与える影響について嘆いていますが、このようなプログラムとのかかわりによって本当に影響されるのは、神経細胞よりも、私たちの習慣や態度です。確かに、神経可塑性という言葉があります。何をするかによって脳はその構造を変化させるということです。コンピューターを使って勉強した脳は、教科書を使って勉強した脳とは異なる配線になります。これは、目新しいことではありません。文字で学んだ脳は、口承による教育を受けた脳と異なっています。同様に、人形を使って遊んでいる子どもの脳は、ブロックで橋を作っている子どもとは異なる配線になります。

人間の脳は、さまざまな状況に適応します。技術は、今までずっと人間を変化させてきました。火は肉を調理する手段を人間にもたらしました。要するに、消化しやすいように調理された食物が得られ、人間の歯や消化管の進化に影響を与えました。毛皮を着ることによって、人間の体毛が少なくなりました。同様に、文字は、人間が情報を処理したり記憶したりする方法を変化させ、テレビは、人間の脳が立体的な3次元空間を認識する方法を変えました。

デジタルメディアは、ある部分ではこのような経過を引き続いてたどっており、さらに独自の特徴も発揮しています。人間が機械に自分の記憶を外部委託することによって、アクセスできるデータの量は増大しましたが、物事を記憶する脳の能力は低下しています。このような記憶に関する負荷軽減のプロセスは、文字の発明とともに始まったものであって、当時も同じような批判を受けました。

人間は、今までずっと、記憶や知識を外部の処理用メモリーに置きながら、ハードドライブというよりもプロセッサーとして自分の脳を使ってきました。しかし、現在の状況が異なっている点は、人間を代行して記憶されているものが、リスト、日付、レシピのようなものだけではなく、プロセス全体だということです。以前は、医者や友人を探し、訪問経路を調べ、レストランを選ぶために使っていた方法は、今では機械に置き換えられて、もしかしたら、いやもしかしなくとも、実際によりうまく実行できています。結果として人間が失ったものは、何らかの事実を記憶する能力だけではなく、何らかの作業を実行する能力にまで及んでいます。

何かを行う方法をプログラムとして書いて、コンピューターがその作業を実行できるようになれば、その作業のやり方を覚えておく必要はありません。これは、アルゴリズムによる計算と似ています。多くの人は、平方根の計算や桁数の多い割り算を習いました。一連の決まった手順に従って数字を書いていくことによって答えを得る方法を覚えています。しかし、それで正しい答えが得られるという理由は忘れています。今、そのプロセスをコンピューターに覚えさせたとすれば、私たちは、すべての出来事が1段階先へ進んだ状態に移行します。つまり、単に人間の記憶を外部のハードドライブに移して負荷軽減するだけではなく、人間の思考も外部に移して負荷軽減することが始まっているのです。

思考とは、本のようにいつでも必要なとき、都合の良いときに取り出せるわけではありません。思考とは、常時オンになっているものです。人間は、デジタルの支援なしに思考する能力を放棄することを選択しているのでしょうか。もしそうであれば、常にネットワークに接続したままになるという覚悟ができているのでしょうか。そこに何か別の新しい能力を後から追加する余地があるのでしょうか?

ここで重要になってくるのは、頭蓋骨の中にある神経細胞のネットワークではなくて、人間にとってそのような生き方が望ましく幸福なものなのか、ということです。私たちがどの程度意識してデジタルメディアの利用に向き合おうとしているか、ということです。

生活に取り入れようとしている技術の偏向を知ることは、その技術の受容によって人間がどのように変化するかを認識することです。また、その状況で人間が幸福であるかどうかを判断するための唯一の方法は、この認識なのです。それぞれのツールの必要条件について、受動的に技術を取り入れ、やむを得ない妥協として生活スタイルを受け入れるのではなく、私たちがより人間らしく生きるために、その偏向を利用することができるはずです。

コンピューターは、クロックが時間を刻むその瞬間に生きています。人間は、その瞬間と瞬間の間にある、実際の時間の経過という大きい空間の中で生きています。私たちが「常時オン」になるとすれば、時間を知らず時間を必要としない技術というものに対して、時間を売り渡していることになるのです。

後注

1. E. Ophir, C. Nass, and A. D. Wagner. "Cognitive control in media multitaskers." Proceedings of the National Academy of Sciences vol. 106 no. 37 (September 2009), 15583-15587.

第２章　場所

相手に向き合って生きる

II. PLACE

Live in Person

相手に向き合って生きる

デジタルネットワークは、1箇所で集中的に処理するのではなく、複数の別々の場所で処理する分散型の技術です。近くにいるという親密さが失われる反面、遠く離れた場所からはたらきかけることができます。長距離通信や遠隔地での活動には非常に適しているのですが、すぐ目の前にいる人やモノとかかわるためには使いにくいものです。距離の概念をなくすための技術をきわめて近距離の通信に使うと、人間は、場所の感覚を忘れてしまって、さらにはホームゲームの有利さを失い、アウェーでプレーするような状況になります。

ある少女の例を考えてみましょう。

ジーナは、大都市に住む有名な高校3年生で、Twitterで500人以上のフォロワーがいて、みんながジーナの投稿を読んで今夜はどこに出没するのかを知ろうとしています。私は、若者文化評論家と一緒にジーナを追跡して、彼女が金曜日の夜にいつも何をしているのか、どのようにして行動を決めるのか、増加し続けるフォロワー集団とどのようにコミュニケーションするのか、を調べました。ジーナは、流行の仕掛人であり、社交的なリーダーであり、現代が生み出した典型的な少女像であり、一言では表現できないほど多くの面を持っています。

今、ジーナは、ニューヨークのアッパーイーストサイドにあるクラブに来ていますが、男の子にも音楽にも関心がなさそうです。周囲のものには目を向けずに、スマートフォンでメールをスクロールして眺めています。ニューヨークのどこかで他のパーティー、バー、クラブにいる友達からのメールです。ジーナは、自分が今参加しているイベントが参加する価値のあるものかどうか、あるいは、もっと良いことがこの瞬間にどこか他の場所で起きているのかを知りたいのです。思ったとおり、画面上のある表示がジーナの関心を引き寄せました。そして、たちまちのうちにタクシーに乗ってイーストビレッジに向かいます。

着いたところは、先ほどのパーティーと同じように見えますが、ジーナは、これが今夜の「参加するべきイベント」だと思ったのです。しかし、スマートフォンをオフにしてパーティーを楽しむのではなく、スマートフォンのカメラを使って自分自身や友人たちの写真を撮ります。写真は、即座にジーナのFacebookページにアップロードされて、世界中の人々に公開されます。1時間くらいそれを繰り返していると、彼女のネットワークの一人からメールが届いて、また次の場所へ移動して同じサイクルが始まります。

ジーナは、一晩のうちにさまざまな場所に現れる女の子ですが、究極的には、どこにも全くいないのです。彼女は、機器やネットワークと「常時オン」の関係を維持しているので、第1章で述べた「常時オンをやめよう」のルールにすでに反しています。この状況が、他人のしていることを常に把握しておきたいという、熱狂的で強迫観念にとらわれた欲求を生み出しています。それは、直線的に継続する時間からジーナを隔絶するだけでなく、現実の空間からも排除しています。友人とは、ネットワークを通じてつながっていますが、実質的には、その瞬間に一緒にいる人たちを無視しています。離れた場所にいる人に向けて送信するのに適した状況になった場合に限って、自分がいる場所や人とかかわりを持ちます。クラスで最も社交的な少女は、現実世界では全く社会と交わっていないのです。

デジタルネットワークの意図が、高校生の少女を現実世界の友人たちから分断することではないとしても、ネットワークの偏向は、確かに分散型の行動を支持するものです。もともと、インターネットは、核攻撃に耐えられる通信プラットフォームとして開発されました。メッセージは、文字、音声、画像のいずれであっても、ネットワーク内を「パケット」として移動し、それぞれのパケットは、最終目的地に到達するまでの間、ノードからノードへとさまざまな経路を通っていきます。ネットワークは、権威ある機関によって中央で管理されていますが（この話は、また後で）、機能としては分散型になっています。

その結果として、デジタルメディアは、非局地的な、距離の概念をなくす方向に偏向しています。それは、テレビが、ベッドでの寝物語を放送するよりも、地球の反対側で行われているサッカーの試合を放送するのに適しているのと同じように、ネットは、同じ場所にいる人どうしの交流を促進するよりも、遠く離れた場所から見かけ上の交流を生み出すのに適しています。

というのも、メディアの偏向は、常に距離に関するものだったからです。それがメディアの存在意義の一部です。文字の出現によって、ある場所から別の場所へメッセージを送れるようになりました。ただし初期のうちは、伝令を従えた王様だけができたことです。書かれた言葉の力を利用できる人は、遠くで起こっている事態に対応でき、さらには、その状況を変えることもできるようになりました。同様に、放送メディアは、産業革命の時代に新しく生まれた全国的ブランドが、そのブランドの価値を遠く離れた場所に伝える手段を提供しました。以前は、顧客が地元の商店との個人的な関係を重視していたはずの場面で、今度は、全国的に宣伝される製品のメッセージに共感するようになりました。

地元よりも遠方の広告主というのと同様に、メディアは、地域の人々の関心事よりも遠方の問題を取り上げてきました。これはすばらしいことです。ある問題や意見について国全体を結集することができ、遠くで起こっている不正をみんなが知るようになり、さらには、すべての人々が同じような状況であることがわかります。このような距離の概念をなくしてしまう偏向は、しかし、地域の利益に対する脅威となりうるものです。また、土着の神々や地方独自の規律よりも普遍的な神格や倫理を重視するユダヤ教やキリスト教に対する反発の原因でもありました。

同様にして、大手メディアおよびそこに広告料を払う企業は、地元企業とそこではたらく従業員の敵になりました。伝統的に技術およびメディアは地元企業よりも大企業を優先して、事業をよりグローバルにするはたらきをしてきました。大量生産によって、はたらく人たちは、自分が生産している物の価値から遠ざけられました。生産ラインの労働者は、製品を最初から最後まで作るのではなく、プロセス全体の中の小さな一部分だけを担当します。製品は、人から人へ、場合によっては国から国へ移動しながら組み立てられていきます。生産サイクルにおける個人の重要性が低下します。職人芸や熟練技能は、繰り返し可能なプロセスに取って代わられるので、個人の技能レベルは重要ではなくなります。労働者は、安価で置き換え可能になり、その一方で、大企業の価格決定力によって、地元企業は廃業に追い込まれます。町は、これまで以上に外部資本による工場での雇用に依存するようになります。

大量生産された製品を売るためには、マスマーケティングが必要です。オーツ麦を粉屋のボブさんから買う代わりに、人々は、何千マイルも離れたオハイオ州の大企業から購入することになります。パッケージに印刷されたクエーカー教徒の顔は、以前、商品をやりとりしていた地域の仲間との懐かしい絆を思い出させます。最後には、マスメディアが出現して、このような遠隔地のブランドイメージを国全体に売り込みました。ラジオやテレビを通じて、地元とは関係ない大企業は、その商品が店頭に届く前に、自社のブランドや神話を市場に広めることができました。

マスメディアは、地域で実際にはたらいて生活している人々とは無関係な全国的ブランドの競争力をつける手段になりました。地元企業は、地元のお金をめぐって、全国的ブランドと全国的チェーン店の両方と競争しなければなりません。そして、マスメディアは、地元での生産や地域内のつながりよりも、大量生産やマスマーケティングを重視しました。取引の価値は、お金だけに限定されて、それ以外の一切は見捨てられました。販売した時点ですべてが終わってしまうのです。取引や交換という人と人との関係から生まれる社会的価値がすべて消失し、お金そのものは、地域から外に出ていきました。人々は、地元企業を見捨てて大型店舗を選ぶうしろめたさに、地元商店の人と遭遇しそうな繁華街や地元の施設で過ごす時間が少なくなっていきます。このような傾向がどんどん強くなりました。地域の絆は衰退し、生産力の高かった町は、通勤者のためのベッドタウンになりました。

ケーブルテレビ、そして今では、インターネットによるマーケティングは、中小企業が大企業と同じ土俵で勝負する手段を提供しています。しかし、これは、現実世界の地元企業としての本当の強みとは反対の方向に機能しています。地元商店あるいは地元企業の力は、特定の地域や人々とのつながりです。その地域性が強みなのです。ご近所の人々との関係を深めるために分散型メディアを利用することは、地元企業としてのホームゲームの優位性を放棄していることになります。ウェブページのバナーは、広告代理店が作ったものよりも立派に見えるはずがありません。

確かに、ネットを使って、地域のグループを作ったり、会合の予定を決めたり、保護者に学校行事への参加を呼び掛けたりすることはできます。しかし、このような事例では、場所の制約を受けないというネットの偏向が、目的を達成する手段としてうまく利用されているのです。その瞬間にその場に一緒にいない人と連絡を取り合うためにネットに接続し、実際に会う場所と時間を決めようとしています。実際の生活でよく知っている人とネットでかかわることは、オンラインでのみ知っている人とのかかわりとは相当に異なっています。現実世界でのつながりがすでに存在する場合、ネットは、そのつながりを増強する効果があります。

また、双方向の技術のおかげで、以前は一方向だけの放送を推進していたメディアの世界においても対話が可能になりました。マスマーケティングやマスメディアによって個々に分断された世界で生きている私たちにとって、このような小さい徴候は、非常に現実的であり注目するべきものです。以前は孤独を感じさせるものであったメディア空間が、今では、どこの誰とでもつながることができる手段になっています。一部の人にとっては、自分と同じ境遇にいる他人に初めて出会うことができます。希少ながんの経験者が、支援グループを見付けられます。ゲイである子どもが、高校でただ一人ゲイであることを告白してその状況を乗り越えた人を見付けられます。一部にしか知られていない本や音楽のファンが、自分以外にそれを知っている人と語り合える世界的なコミュニティーを見付けられます。

しかし、このような交流は、離れた場所にいるままで行われます。何もないよりは良いことであり、特にあまり例のない状況にある人にとってはそうなのですが、現実の交流の代わりになるわけではありません。実際に、デジタルの模擬的なつながりができても、より疎遠になる場合も多いのです。家から外に出られない老人が、今では、容易に毎週日曜日に「バーチャル」教会へ行くことができます。そして、教区の住民は、その人を自動車で教会まで連れて行く必要がなくなります。手間は省けますが、関係者の誰にとっても有益ではありません。今までの親切にしたりされたりする関係がなくなってしまいます。

同様に、デジタル技術は、遠隔地からのニュースや画像を即座に、絶え間なく、私たちに提供しています。海底油田から石油が海洋に流出しているライブ映像を見、携帯電話の動画で、独裁者の警察によって活動家が街頭で殺される場面が見られます。しかし、それらの事件について、安全な自分の寝室からブログを発信する程度のことしかできないのです。私たちは、分断されて鈍感になっているため、このような映像を見ても深くかかわろうとは思いません。さらに言えば、それは、「あちら側」のどこかの話だと思ってしまいます。

その一方で、自宅の窓のすぐ外で起こっていることの持つ意味がますます小さくなっています。ネットに依存して他人や世界とのつながりを持つようになると、そのすべてが展開するネットというツールを少しも疑わず崇拝してしまいます。私たちは、コンピューターの画面や電子メールアカウントが、コミュニティーやつながりによる最も重要な経験に結び付くと考え、また、ブログのコメント欄が最も意義深い会話だと勘違いしています。

このようにして、その場で面と向かって話をするほうが容易なときにも、長距離のための技術を当たり前のものとして使うようになりました。ある大学を見学したときに、10年前から模擬国連の授業に使われてきたという教室に案内されたことが忘れられません。ただし、その年は、やり方が違っていました。教室内で学生が国連総会を再現するのではなく、オンラインシミュレーションでそれを実施したのです。私が会議場のような教室に入ると、40人の学生が机に向かってコンピューター画面をのぞきこんでいました。学生たちは、全員が同じ場所にいるにもかかわらず、互いに顔を見るのではなく、モニターを見ていました。そのモニターには、学生たちが今いるのと同じような教室の画像、ただしコンピューターがないものが表示されていました。

このようなシミュレーションは、世界各地の学生が一斉に国連総会と同様の体験をするためには適しているかもしれません。しかし、すでに時間と資金とエネルギーを費やして、大学に国連総会に似せた教室ができているのに、すべて放棄してビデオゲーム版でこれを体験する必要があるのでしょうか。

同じような例をあげれば、私がコンピューターのスライドショーを使わずに講演すると言うと、講演会の主催者によく驚かれます。コンピューターによる資料を使わない講演に対して、聴衆がどのように反応するのか不安だということで、キャンセル寸前の事態になったこともあります。この人たちがわかっていないのは、私は、自宅からインターネット経由でスライドショーを容易に配信できるということです。スライドショーのためだけであれば、何千マイルも飛行機に乗ってこの身体を移動させる必要はありません。そうではなくて、ジェット燃料を使って国内外を問わず遠方まで人間の身体を移動させるのは、その場において相互に発生する人間的なコミュニケーションを行うためです。多くの場合、デジタルのスライドショーは、注意をそらすものであり、電子データが仲介することによって、人と人とのつながりを遠ざけているのです。

すぐ近くにいる人との出会いのために遠距離用の技術を使うのは、よくあることであり、悪いとばかりは言えないでしょう。けれども、デジタル空間でつながっている感覚が強くなればなるほど、人間への注意をそらすことになります。何日も、あるいは何週間もビデオチャットを使った後で、現実の生活で誰かが自分の目を見つめているのを感じると、圧倒されるような気がして混乱することがあります。

これと同じように、ビジネスにおけるブランドの価値はすべて広告を通じて伝達可能だという考えに凝り固まってしまうと、現実社会のある特定の場所でビジネスを営むことの意義を見失うのも当然です。場所という概念そのものが、場所に無関係であるデジタル世界の現実に屈服してしまったようです。自分がどこにいたとしても、それは、GPS座標の一つにすぎないものになっています。

距離の概念をなくすというデジタルメディアの偏向を認識していれば、遠く離れた場所と双方向にやりとりできるという強みを活用する一方で、目の前にいる人とのつながりが必要なときにはデジタル技術に邪魔されずにつながるという可能性を維持することができます。多くの企業、特に巨大企業は、すでに場所に無関係な現実世界に存在しています。19世紀の植民地帝国から鉄道王に至るまで、産業における協調組合主義（訳注：

政策決定に企業や労働組合などを参加させるシステム）の歴史は、人々をその地域の強みから切り離して、遠い場所から人々に命令することを重視していました。大企業がネットを使って地元企業のふりをすることは、地元企業がネットを使って全国的ブランドのように行動するのと同じくらい意味のないことです。強力なグローバル企業が弱小な地元企業になり、また、将来有望な地元企業が貧弱なグローバル企業になってしまいます。

デジタル時代になって、双方向メディアには場所に無関係という偏向があることを、私たちはみな認識できるようになりました。それを理解していれば、現実世界で他人と相互に直接対面して生活や仕事をしたいと思ったときには、いつでもデジタル世界から現実世界を選択して切り替えることができます。それは私たち生身の人間にしかできないことです。

第3章　選択

示された選択肢から選ばなくてもよい

III. CHOICE

You May Always Choose None of the Above

示された選択肢から選ばなくてもよい

デジタルの世界は、あらゆるものを選択するようになっています。メディアには、選択を重ねて細分化していく偏向があります。この偏向によって、私たちが選択しなかったものは、気づかれずにまたは記録されずに除外されたり、選択する必要がないときにも何らかの選択を強要されたりすることがよくあります。

アナログレコードとデジタルCDの違いは、実に単純です。レコードは、ある場所である時間に起こった出来事の産物だと言えます。音楽家が楽器を演奏しているとき、その近くで蝋の円盤に針が溝を刻みます。音が針を振動させて、音を溝の幅の変化として記録し、それを型に取ってコピーできるようにします。誰か別の人が、そのコピーされたレコードのギザギザの溝に針を置くと、元の音が出てきます。この記録と再生の原理において、実際の音について誰も知る必要はありません。それは、単なる物理的な出来事であり、その結果が物質に残されているだけです。

これに対して、CDは、物理的な産物ではなく、記号による表現です。それは、音よりも文字に似ています。コンピューターのプログラムによって、音楽家の楽器から出てくる音を計測します。コンピューターは、1秒間に多数のサンプリングを行い、その音を数学的に表現できるように数値を割り当てます。記録された音に相当する数値、すなわち「デジタル」の値が定量化されると、その数値を他のコンピューターに転送します。他のコンピューターは、その数値に基づいて、何もないところから音楽を合成します。

アナログ録音は、物理的な記録ですが、デジタル録音は、選択の繰り返しです。前者は、リアルタイムと同じように滑らかで連続的です。後者は、瞬間瞬間の数値の繰り返しです。レコードは、材質が許す限りにおいて元の音源に忠実ですが、CDは、その製品をプログラムする人がこの程度にしておこうと考えたことを反映した忠実度です。曲を表現する数値群、すなわちデジタルファイルは、少なくともその条件の下では完璧なデータです。それは、正確に、何度でもコピーすることができます。

しかし、デジタル録音では、計測されて数値として表現された音の特性だけが考慮されます。レコーディングエンジニアが考慮しなかった音の特性は失われ、決して計測、記録、保存、再生されません。後になってから、より高度な再生機器ができたとしても、読みだしなおすことはできません。それは、消失しているのです。

特にスクラッチノイズのあるレコードと比べて、デジタル録音がきわめて本物らしく感じられるということを考えると、この消失は、ささいなことのように思えるかもしれません。結局、人間には聞こえないのであれば、それは、どれほど重要なのでしょうか。多くの人は、全く重要でないと考えています。しかし、ある実験では、デジタル録音された音は、同じスピーカーで再生したアナログ録音と比べて、室内の空気の動き方が相当に異なるという結果が出ました。人間はその差異を正確に指摘したり数値化したりできないとしても、その部屋にいる人の身体は、おそらくその違いを体感しているでしょう。

そこで、デジタルオーディオ・エンジニアは、サンプリング周期を短くして、従来の実験で計測しなかったものに注目してみました。サンプリング周期や周波数範囲が「人間の耳で聞こえる能力を超えている」のであれば、問題は解決するはずです。ところが、そうではなかった。これはデジタル録音の性能が不十分だという問題ではなく、デジタル録音は、アナログ録音とは根本的に異なる現象だということだったのです。アナログというのは、時計の針をゆっくりと手で回しているのと同じようなもので、一つの滑らかな動作で各数字の上を通過していきます。デジタル録音は、デジタル時計に似ています。ある秒から次の秒へ変わるときに、絶対的で不連続な選択をしています。

この選択、すなわち人工的に分割する決断の瞬間は、非常に支配的かつ絶対的な一瞬の決定です。現実にありそうな気がしますが、現実世界にはこのように不連続なものは存在しません。人生がいつ始まっていつ終わるのかはっきりと決められません。同様に、呼吸が完了するのはどの時点なのか、あるいは、楽器の音の響きが本当に消えるのはいつか、そもそも終わりがあるのかどうかを決めることはできません。現実世界のものごとをデジタルの記号的世界に変換するためには、そのような選択が必要になるのです。

デジタル世界には、選択に向かう偏向があります。なぜならば、イエスかノーかというような不連続な記号的言語であらゆるものを表現しなければならないからです。その結果として、デジタル世界で行動する人間は、選択を強制されることが多くなります。選択の回数が増加しているのは、主としてデジタルの副作用であることを認識する必要があります。実際には、全く選択しない、という選択肢が常に存在しているのですが。

この現実の選択および架空の選択は、すべて不必要な決断の瞬間です。けれども、好みによる選択を重視することによって消費者を満足させようとしている販売業者にとっては、まさしく夢の実現でしょう。しかし、それは、販売業者のせいではありません。彼らは、デジタル技術に既に存在する、イエスかノーかを決断させる偏向を利用しているだけなのです。

要するに、デジタルの構造そのものは、数字なのです。ファイル、画像、音楽、動画、プログラム、オペレーティングシステムは、すべて単なる数字です。もし興味があれば、大切な人の動画または写真をテキストエディターで開いてみてください。数字が現れますよ。コンピューターから見た場合、その数字は、1と0の繰り返しで表現されています。コンピューターやスイッチには、オンかオフしかないので、1と0の中間には何もありません。イエスとノーの間、オンとオフの間の面倒なものは、電線や半導体チップや通信パケットの中にはありません。何かをデジタルにするためには、その数字で表現しなければならないのです。

曖昧ではっきりしない現実世界の人々や認識を、明解な1と0という数字で定義するデジタル世界に変換するとき、何かが消失します。あの微妙な色合いの橙色は、光のスペクトルの中で黄色と赤の間のどこにあるのでしょうか。491テラヘルツ？　もう少し上？　491・5？　491・6？　その間？　それは正確ですか？誰が決めているかは別として、まず認識しておくべきことは、実際にそれを誰かが決めているということです。そこでは、選択が行われています。

これは、悪いことではありません。コンピューターがそのように動作しているだけです。現実世界のあらゆるものが単なる情報であるかどうか、二つの数字が長く連なったものに集約できるかどうかは、未来のサイボーグ哲学者にお任せしましょう。問題は、世界が純粋に情報だけでできていたとしても、私たちは、記録するべきデータについて十分に理解していないということです。すべての情報を理解していませんし、それを計測する方法がまだわかっていません。今のデジタル表現は、妥協の産物です。それは、ある特定のポイントをつかんで私たちが重要だと思ったことを、大量に記録したり送信したりしている記号体系です。デジタル技術が高度化しても、さらに細かい単位でその選択を行っているだけなのです。

私たちが生活している連続的で繊細な世界について、コンピューターは、忙しく選択を重ねて対応しようとしています。その一方で、多くの人は、コンピューターの条件に合わせて生活したり自分の役割を決めたりして、コンピューターを受け入れるのに忙しくなっています。私たちは、選択したいから選択しているのではなく、プログラムがそれを要求するから選択しているのです。

たとえば、オンラインにある情報は、データベースに保存されています。データベースは、実際には一覧表のようなものですが、コンピューターすなわちプログラムが、一覧表の中にあるものを解析して利用できるようにしなければなりません。そのために、誰か、すなわちプログラマーは、どのような質問が提示されるか、それに応答する利用者にはどのような選択肢があるか、を決めなければなりません。男か女か？　既婚か未婚か？　ゲイかストレートか？　土足で踏み込んでくる質問もあります。あるいは、年齢：0〜12歳、13〜19歳、20〜34歳、35〜48歳、49〜75歳？　プログラマーは、データベースの構成に応じて、自分または雇用主の目的に適した単位で、重要な分類区分を選定する必要があります。

利用者としての私たちに見えるのは、すべて選択の世界です。選択は利用者がするのですから、それは良いことではないでしょうか？　メールブラウザは、100種類のデザインを選択できます。出会い系サイトの自己紹介には、20種類の分類があって、それぞれ20種類の性格を選べます。自動車、生命保険、またはスニーカーには、100種類のオプションを設定できます。少なくとも初めのうちは、大きな権利を得たと感じられます。選択肢が多いのは、良いことですよね？　私たちは、それが自由、自主性、自己決定権、民主主義と同じだと思っています。

しかし、選択肢が多くなっても、これらすべてが実現するわけではないことがわかってきます。私たちは、選択する自由が欲しいと思っています。技術の歴史は、要するに、人間がどのようにして多くの選択肢を自分たちにもたらしてきたかという物語だと言えます。さまざまな気候の場所で生活するという選択、食物を得るための狩猟以外のことに時間を使うという選択、夜に本を読むという選択などです。このような選択には価値がありますが、まだ私たちが手に入れていない選択肢が一つあります。それは、これらの選択に関与するかどうか、という選択です。

選択は、私たちを引き留めます。動き続けるためには決断することが要求されます。選択とは、一つの選択肢を選んで、他のすべてを手放すことです。まだ一つも講義を受けないうちに、大学の専門科目を決めなければならない状況を想像してみてください。除外された選択肢は、現実でも想像上でも、いずれにしても機会損失です。私たちは、選択をすればするほど、あるいは、選択を強制されればされるほど、自分の期待が満たされると思っています。しかし、実際の経験によれば、選択をあくまでも追求すると、関与が少なくなり、強迫観念が強くなり、自由度が低くなり、管理が強化される結果になります。また、強制された選択は、選択とは言えません。人質になっている状況で自分の子どものうち誰を生き残らせるかの選択を迫られるとか、ソーシャルネットワークの利用者が世界に向かって自分が既婚者か独身かを公言させられるとかいうようなものです。

強制的な選択に向かうデジタル技術の偏向は、私たち消費者の役どころによく適合しています。このような選択が自由をもたらすという観念を強化する一方で、デジタル技術を利用して私たちの選択した結果が消費動向調査の素材として取り込まれています。ウェブサイトやプログラムは、ある種の実験場になっており、私たちのキー入力やマウスクリックを計測して比較したり、あるいは、選択内容を記録して次の選択の予測や推奨に利用されたりしています。

予測された推定値を正しいものとして受け入れると、コンピューターやプログラマーによるこの技法を強化することになります。オンライン書店が、私たちの今までの選択に基づいて、同じような選択をした何千人もの他の消費者による選択も併せて本を推奨したり、市場調査会社が、子どものソーシャルネットワークでの行動を使って、将来、どの子どもがゲイと自認するかを予測したりしています。今ではそんなこともできるのです。いずれの場合でも、選択は、人々が欲しいと思うものを与えるよりも、選択を提供する側が売りたいものを買わせるようなしくみにつながっています。

その一方で、与えられた選択に従っていると、私たちは、ますます予測可能で機械的になっていきます。描画ソフトで「グリッドにスナップ」を有効にしてドラッグされた画像と同じく、決められた範囲内にいるように自分を訓練しているのです。その画像は、自由に置いた位置にとどまるのではなく、グイっと動いて、マップ上で近くにある所定のグリッドに固定されます。

同様に、私たちが読むニュース、購読するフィード、訪問するウェブサイトに関する一連の選択を通じて、自分自身の選択にフィルターが作られています。任意または強制により選択した友達やフィードは、プログラムや検索エンジンが私たちに次に何を見せるかの目印になっています。選択は、2進数の符号に変換されることによって無限の可能性を消失させ、私たちの世界を狭くしているのです。

デジタル世界での強制的なトップダウンの選択に代わるものとして、新たに出現してきたのが「タグ」です。画像、ブログ記事、その他あらゆるものは、あらかじめ定められたカテゴリーにすべて分類されているのではなく、それを見たユーザーが、自由にタグを付けることができるようになっています。ある名前でタグを付ける人が多ければ、そのタグの付いたものを探している人は、容易に目的のものを見つけることができます。従来のデータベースには、タグを使う場合のようなオープンエンドのボトムアップ方式でものごとを分類するという偏向はありませんが、そのように動作することは可能です。最初にプログラムされた選択肢に限定される必要はなく、人々が使っているタグや好みに基づいて、その特性やカテゴリーを拡張するようにプログラムすることができます。そうなると人間がデータと同じように考えることを要求されるのではなく、データが人間の思考に従うようになります。これはすべてプログラムによって得られるものですが、こういったタグを扱うプログラムの状態を私たちが意識的に傍観し、その結果としてこの技術がもつ偏向を知ったことで、得られた成果とも言えます。

ところで、私たちには、いつでも選択を保留する自由があり、分類を拒否し、さらには選択肢のリストにないものを選ぶこともできます。必ずしも提示された選択肢の中から選ばなくてもよいのです。選択を保留することは、「死」を意味するわけではありません。全くその逆であり、それは、生命とそのデジタル模造品とを区別する数少ない特徴の一つなのです。

第4章　複雑

完全にただしいということはありえない

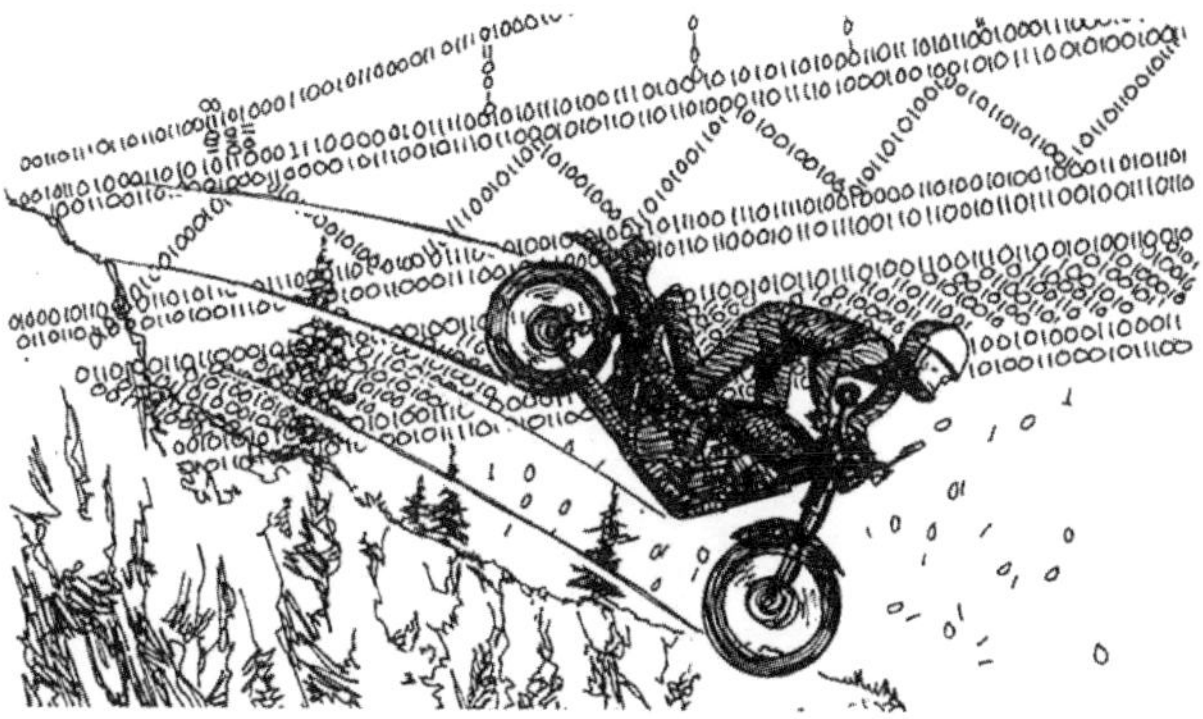

IV. COMPLEXITY

You Are Never Completely Right

完全に正しいということはありえない

デジタルツールは、もともとある種の複雑さを備えているものの、多くの場合、微妙な問題を過度に単純化してしまいます。デジタルメディアには、矛盾や妥協を許さない偏向があるため、人間を互いに対立する陣営に二極化させ、共通の価値観を認めることができず、矛盾に対処できない状況に追い込むことがよくあります。ネットで私たちは、質問したり論理の過程をたどったりするよりも、単純な検索ワードから答えを得ようとします。デジタルツールが現実の代わりになるものではなく、現実をモデル化したものであるという事実を忘れて、過度に単純化されたその形態を本来のあるべき姿だと勘違いしているのです。複雑さを低下させるというデジタルの偏向を知ることによって、デジタルのシミュレーションがこの世界の精密な描写ではなく、何もない空間内のモデルにすぎないのだ、と受け止める能力を取り戻さなければなりません。

今までに述べた三つの偏向の結果として、デジタル技術は、決断すること、決断を迅速に行うこと、見たことがないものにまで決断を行うこと、を促しています。さらに、この選択はすべて数値で表現されるため、限られた桁数の小数までの精度しかありません。このような近似値になるのは、やむを得ないことですが、しかし、それは絶対でもあります。最終的に、デジタル技術は、イエスまたはノーとしか言いません。

このことによって、デジタル技術は、複雑さを低下させる方向に偏向していくと考えておくべきです。

たとえば、現実ではいくつもの段階を経たのちにようやく発見できる情報であっても、大部分のデジタルネットワークは、1回のウェブ検索でアクセス可能です。すべての知識は、1回の検索だけという、誰にとっても同じ手間の先にあるのです。次々と調査を重ねたり、よく使われた道をたどったり、あるいは、全く新しい道を進んだりするのではなく、検索ワードを入力すれば、読み切れないほどの結果が返ってきます。調査研究は規模を縮小し、ネットワークに応答を求めるという1回の作業になっています。

その一方で、この状況は著しい民主化であるとも言えるのです。デジタル時代になって情報がアクセスしやすくなると、情報の保有者は、誰に共有させるか、誰を除外するかということを恣意的に決めにくくなります。競技場はきれいに整地されたのです。これまでは医師、物理学者、防衛関連企業、大学関係者しか入手できなかったような情報でさえ、一般の人がアクセスできるようになりました。

データが制限のない場所に存在しているということだけではありません。もはや、データを見付ける方法を知っている必要がないということです。以前は、知識を得ようとすれば、所定の道筋をたどって、ようやく目的地に到達したときに、その知識を手に入れることができました。知識を求める人は、先輩たちが残した輪をくぐって順々にジャンプするように、決められた手順を踏まなければなりませんでした。今では、すぐに答えが得られます。

現在では、がん患者は、10年間にわたって医学を学ばなくても、ある化学療法に関する情報を読むことができます。これはすごいことです。一般市民は、法律の学位を持っていなくても、新しい税法が自分のビジネスに与える影響がわかります。学生は、『ロミオとジュリエット』を全部読まなくても、試験問題に答えられるのです。まあ、少なくともここまでは、すばらしいことのように思えますが、このいいとこ取りの知識と、本物の調査を重ねて手に入れた知識を同一視していると、必ず困ったことになります。

今日の忙しいネット文化では、あるテーマに関するウィキペディアの記事全体をじっくりと読むのは、（特に、必要な検索結果を見付けた後であれば）ぜいたくに思われます。レポートの情報源として百科事典の記事を使うのは、中学生であっても、恥ずかしく、決して褒められるものではなかったはずです。百科事典を使ってレポートの構想を考えるのは不正行為である、と先生が考えていただけではありません。こんな水で薄められた知識の要約に頼ると、正しい道筋に沿って学べないと誰もがわかっていたのです。シェークスピア劇のいくつかの場面を実際に読むこと、あるいは、メンデルが庭に植えられたエンドウの形態の違いから遺伝学を考え出した過程をたどることとは、体験学習なのです。それは発見の過程の再現を通して、認識という行動を経験することができるのですから。

知識を取得する方法として、しかしこのような方法は時代遅れなのでしょうか。確かに、そのとおりでしょう。個別に存在するすべての事実が、知識を得るときに絶対に必要というわけではないのです。テネシー州の売上税の税率を調べるために、テネシー州の税法の変遷をたどる必要はありません。ありがたいことに、インターネットで1回検索すれば、必要なだけの情報は得られるのです。

しかし、すべてがデータになっているわけではありません。デジタルアーカイブのおかげで、自分が必要とする条件に合ったデータの断片は取り出せますが、そうすることでその情報の背後にある文脈が消失してしまうリスクがあるのです。学問のルールに対するデジタル世代の条件反射的な反応は、何世紀にもわたる抑圧的な階層制度に対する怒りがベースにあります。教授、師匠、権威者といった人々は、知識へのアクセスに対して、あの手この手で私たちにお金を払わせてきたからです。彼らはその独占権を悪用していたかもしれませんが、彼らが私たちを導いた道程には、正しい部分もありました。

学問のルールは、各時代の専門家が必須の知識だと考える内容を追加したり修正したりして、何世紀もかけて作り上げられたものです。この規律は確かに一方的に形成されたものですが、これを放棄すると、私たちは、現在につながる何世代もの道程と分断されてしまうのです。私たちは、より大きなプロジェクトに参加する一員ではなくなり、さらには、何を拒絶しようとしているのかも理解できなくなります。

もっと直接的に言えば、文脈から切り離された事実を適切に利用することはほとんど不可能だということです。何らかの社会的または政治的な立場にある人々にとって都合が良い議論に使われるだけです。ある政治家のたった1回の選挙が、その人の全業績を示すものであるかのように利用されます。カフェインまたはタバコに一つの利点があれば、資金を使ったPRによってその利点だけに注目が集まるように仕向けられます。一人の負傷した子どもの写真が、戦争そのものに反対するのではなく、紛争の一方の当事者に反対する世論を形成します。

論争している双方の陣営は、自分たちに都合の良い事実だけを選び出して支持者をあおり、人々を二極化させます。文脈よりもデータを重視するデジタル文化では、みんなが自分の側は正しい答えを持っていると信じており、相手側は正気ではなく邪悪であると考えるのです。ひとたびこの状況に到達すると、相手側の事実と自分側の事実との間に矛盾があっても気にしなくなります。熱狂的な賛同者たちは、新しいレベルの冷笑主義(シニシズム)に到達して、社会の道徳や規範など、すべてのものごとを冷笑的に眺め始めます。そして、事実に矛盾がある場合には、それはすべて的外れだと言い放つのです。事実が大量にありすぎると、かえって事実のありがたみは薄れていくというわけです。

その結果として、私たちは、主として無知による怒りのせいで、仲間内の殻に閉じこもりがちになります。そして、当然ですが、自らの意見を補強するものを欲しがります。テレビのニュースショーはこの利用がうまく、対立する陣営間の怒鳴りあいを風刺化して視聴率を稼ぎ出しています。選挙で選ばれた公職者は、一方の意見だけに偏らずに問題の歴史や背景に理解を示すと、「真面目人間」だと嘲笑されます。私たちは、自分に代わって問題を考えてもらうために、その人たちの給料を払っているということを忘れているわけです。それどころか、よく知らない問題に関する自分の意見を過大に考え、見かけよりも実際には複雑な問題について教えてくれる人々を過小評価しています。そう、彼らは、嫌われる「エリート」なのです。

データの世界は、適切に使えば、独自の貴重なつながりや見識を生み出します。きわめて多数のアマチュアが個々に、または連携して問題に取り組んで、それぞれの結果や情報源を相互に結びつけています。トップダウンの学問のルールにとらわれずに、研究者は、現時点でどの情報源が仲間の研究者にとって有益であるかを認識できています。情報はリアルタイムで構築され、また再構築されて、昨日までの学者たちが予見できなかった新しい課題に適したものになっていきます。物理学と生物学は、もはや大学の個別の学科として存在する必要がなくなり、ジェイムズ・ジョイスは、カオス理論の教科書としてバーチャル図書館の数学の棚に置かれるかもしれません。ハイパーテキストに情報空間では、個人の蔵書のリストが毎日変わっている可能性があります。

このような新しいデータ構造の能力を活用するためには、私たちは、そのあるがままの姿を受け入れていかなければなりません。すなわち、そのモデルは立証されているものではなく、その妥当性は、良くても条件付き、場合によっては個人的なものだということです。それは、ある特定の問題について、あなたの脳がいくつかの情報の断片を整理する方法と同じです。この世界の知識にとって代わるものではなく、知識への新しい入口にすぎません。ただし、この方法による情報へのアプローチを決して新奇性がないとか、無力であると言っているわけではありません。

特に、若い人たちは、情報にごく短時間接するだけで、研究全体の概要を理解する能力を身に付けています。テレビのチャンネルを次々と切り替えるチャンネルサーフィンのスキルによって、彼らは、本や映画、さらには科学的なプロセスも、ほとんど直感的に経験しているのです。彼らは、T・S・エリオットの詩の何行かを聞くこと、幾何学の証明を読むこと、あるいはアフリカの仮面を見ることによって、単純化し過ぎたものではあるとしても、その根源にある世界に対する現実的な印象が得られるのです。これは、〝小さな一部分が全体の本質を表す〟というフラクタル、またはホログラフィック的な芸術や研究に見られるものととてもよく似ています。

デジタル世界にかかわること、あるいはデジタル世界を通じて情報にアクセスすることには、現実世界の複雑さを低下させる傾向があると知っていれば、この過度に単純化されて示される結果を現実の知識や経験と同一視してしまうリスクを軽減できます。デジタルで情報を収集する人は、今までの活字ベースの情報収集者とは逆のアプローチをとる傾向があります。昔の人は、研究とは椅子に座って古い本を読むことの別の表現だと思っていました。しかし、ネットにおいて研究を進めるためには、「データを捨て去ること」がデータを扱う前提なのです。つまりそれは、そこに読むべきものが何もないことを確かめるために、雑誌を読まずにパラパラとめくるようなものです。読書は、深い関与ではなく、除外のためのプロセスになっています。人生とは、知る必要のないことを知らずにすませる方法を学ぶものになりました。

皮肉なことに、デジタルの利用によって人間はさらに単純になっていきますが、機械はより複雑になる一方です。技術が複雑になってくると、単純化された人間の要約重視の頭脳では、技術による意思決定が理解しにくいものになります。こうして、人間の技術依存度がさらに高くなります。社会に影響を与え続けてきた広告業者による物語に代わって、技術の複雑さが新たな不安感として私たちの前に立ちはだかってきます。デジタル技術が、人間をメディアの受動的傍観者という立場から解放する一方で、単純化に向かうデジタルの偏向は、人間を技術の受動的傍観者に降格させました。多くの人にとって、次のすばらしい「iなんとか」の発表は、購買意欲をひきおこすというよりも、不安感を生じるものになっています。これもまた新しく購入して、使い方を覚えなければならない製品なのでしょうか。そもそも、私たちに選択の余地があるのでしょうか。

技術が進歩するたびに、私たちが世界で体験する複雑さは低下していきます。スマートフォンのインターフェースが高度化してわかりやすくなるにつれて、人間は、スマートフォンの使い方を、あるいは、スマートフォンがどのように決断しているかを知る必要がなくなってきます。私たちは、人間が技術を学ぶ代わりに、技術が人間について学ぶ世界を選択しました。要するに、技術は人間の使用人です。それならば、技術は人間がしてもらいたいと思っていることを理解して、それを実行するべきではないのでしょうか。人間は技術の動作原理がわからなくなるにつれて、その単純化されたモデルを現実として受け入れ始めています。

技術が推奨するレストランは、自分たちが知っている近くのお店の情報にとって代わります。しゃべるマップは、人が身に付けた道順にとって代わります。緑や赤で表示される株価速報は、富や幸福について人間が積み重ねた経験にとって代わるのです。

これは、私たちがデジタルモデルを現実と勘違いした場合にのみ、問題になることです。推奨レストラン、マップ機能、株価速報は、世界を理解する方法であって、世界そのものではありません。しかし、仮想世界に関する最近の研究によれば、この二つの世界の境界線があいまいになっているようです。スタンフォード大学の科学者が、仮想世界での体験に関する子どもの記憶について実験したところ、少なくとも半数の子どもは、実際に経験したこととコンピューターシミュレーションでしたこととの区別が付いていないという結果が得られました。[*2] VRヘッドセットを装着してバーチャル鯨と一緒に泳ぐという体験をしてから、その2週間後に調査すると、対象者の半数は、自分が現実世界で実際に体験したと考えていたのです。また、フィリップ・ローズデールは、仮想現実コミュニティーセカンドライフ（Second Life）の創始者であり、かつきわめて穏健な人物ですが、2020年までにこのオンライン世界は、現実の生活と区別がつかなくなるだろうと思う、と私に言っていました。

コンピューターシミュレーションによって、1立方センチの土壌中での全活動を再現する、あるいは足の爪を切る感覚のすべてを正確に再現することが近いうちにできるようになるとは思えません。まして、何千人もの人間がいる一つの社会全体のシミュレーションは、無理でしょう。しかし、この予測が正しいとしても、仮想現実のシミュレーションと現実世界とを人間が区別できないのは、シミュレーションの忠実度が向上しているからではなく、人間の認識能力が低下しているからだと思われるのです。個人的な経験でもわかるように、画面を見る時間が長ければ視力が落ち、イヤホンを装着していれば聴力は低下し、キーボードにしがみついていれば運動能力が衰えます。

デジタルシミュレーションは、人間の感覚器官にも影響を与えます。多くのデジタル音楽プレーヤーで使われている音声ファイルフォーマットMP3規格は、実際には、単なるアルゴリズムです。MP3アルゴリズムは、デジタル音声ファイルを取り込んで、保存領域を節約するために圧縮します。音声ファイル自体は、単なる数値なのですから。このアルゴリズムは、人間の耳の中で鳴り響く音の主要な特徴をシミュレーションするように開発されています。MP3アルゴリズムは、低音の感覚や高音の感覚などを作り出す方法を用意しています。しかし、音楽の代わりにこのファイルを聴いていると、私たちの聴覚が悪化し、あるいは、その音に慣れさせられていくように思われます。ドイツにおける最近の気がかりな研究があります。[*3] そこではMP3を聴いて育った若者は、その親たちが聞き取れる何万種類もの音楽の響きの違いを区別できないとされているのです。

これらのことによってシミュレーション技術そのもの、あるいは、コンピューター科学者が現実を真似る形をとって研究してきたすばらしい成果や重要性が失われるわけではありません。自然界に存在するものすべてにとって代わるには不十分ですが、現実世界で不要な外乱の影響を受けてしまうシステムをモデル化するものとしては優れています。気象システムは、純粋に気圧配置の観点から研究できます。金融市場は、需要と供給を軸にして分析が可能になります。デジタルマップは、富裕度、暴力発生件数、またはリアルタイム出生数など必要なデータを選んで表示して、地域の状況を把握するのに役立ちます。

デジタルシミュレーションは、数値的モデルなので、多くの選択を事前に行わなければなりません。モデルはその必然として縮小的になるという、本質的な制限があります。このことは、その有用性を否定するものではありません。単に条件を付けているだけだと指摘しておきたいのです。デジタル的に単純化することにより、地図ができます。この地図は、経路を示すためには非常に便利ですが、旅行は提供できません。地図がどれだけ詳細になり対話型になったとしても、その土地の代わりにはならないのです。

後注

2. Frontline（www.frontline.org）のドキュメンタリー『Digital Nation』内での著者によるジェレミー・ベイレンソンとのインタビュー、または下記の文献を参照。
Jeremy Bailenson and Kathryn Y. Segovia. "Virtual Doppelgangers: Psychological Effects of Avatars Who Ignore Their Owners," in W. S. Bainbridge (ed.), Online Worlds: Convergence of the Real and the Virtual, Human-Computer Interaction Series (London: Springer-Verlag, 2010), 175.
3. Todd Oppenheimer, The Flickering Mind: The False Promise of Technology (New York: Random House, 2003) 参照。

第5章　規模

誰にでも合うフリーサイズなど存在しない

V. SCALE

One Size Does Not Fit All

誰にでも合うフリーサイズなど存在しない

ネットでは、あらゆるものが拡大していきます。少なくとも、拡大するものと想定されています。デジタル技術は、単純化に向かう偏向があります。あらゆるものを単純化あるいは抽象化して、すべて均一なレベルに並べてしまうため、人、意見、ビジネスは、そのレベルに合わせていなければ不利益を受けるのです。それに対して、抽象化して均一なレベルに進んで合わせることができたものは、優位に立っています。しかし、誰にでも合うフリーサイズというものは存在しないのです。このことを覚えておけば、拡大という誘惑に直面しても、地域での独自の活動を続けることができます。

一例をあげてみましょう。トムはニューヨーク州北部で小さなCDショップを経営していましたが、オンラインへの進出をついに決めました。地元の大学生を雇ってウェブサイトを作ってもらい、カートや支払手続のページを用意しました。オンライン取引を始めると、すぐに実店舗での取引よりも経費が少なくてすむことに気がつきました。ウェブで顧客に向き合うのに、実店舗を維持する必要はありませんし、在庫品を仕入れなくてもよいし、運送料も払う必要はありません。大手配送会社が注文処理の面倒を見てくれて、注文品はメーカーからトムの顧客へ直接発送されます。

トムは、店舗に立ち寄る顧客に対してウェブサイトの利用を推奨して、ついには、店舗のカウンターにノートパソコンを置くようになりました。数か月後、実店舗を完全にやめてしまって、ネットに詳しい友人の助言に従い、オンラインで自分のビジネスを紹介したり専門知識を解説したりするための音楽ブログを書くことに専念しました。

しかしやがて「ショッピングアグリゲータ（価格比較サイト）」が出現し、ネット全体を探索して各製品の最安値を調べるプログラムができると、トムの利益は消滅してしまいました。トムの価格も安いのですが、チェーン店には勝てません。トムの商品が他の店舗と一緒にリストに掲載されたとき、わずか数ドルでも高い価格であれば、常連客でさえも他の店舗に行ってしまいます。今ではトムのブログを読み続けていますが、商品の購入はより安い大手の競合他社を利用します。みんなはトムのウェブサイトもうまくいきません。地元の住民と面と向かって接しなくなっていたことが、トムのビジネスにとって不利な要因になってしまいました。ウェブでみる各店舗のページに何の違いがあるでしょうか。ブラウザウィンドウの中では、店舗はすべて同じ存在なのです。

トムの誤りは、持続可能な地元の店舗を閉鎖したことだけではなく、規模を拡大できなかったことです。ネットでは、あらゆることが均一なレベルで行われるよう、抽象化されています。純粋にデジタルな世界、その中でも特にビジネスにおいて生き残るということは、規模を拡大できるということです。勝利とは、誰よりも先に抽象度が1段階高いレベルに進むことです。ネットではうまく拡大できたCDショップが生き残りました。すなわち、1段階高いレベルに進んで、同じようなCDショップを吸収合併した企業が勝利を収めたのです。

ネットの出現によって、拡大はビジネスの選択肢ではなく必要条件になりました。一般的に、現実世界の企業は「パパママストア」のレベルにとどまるか、あるいはチェーン店やフランチャイズになるかを自分の考えに基づいて選択できます。1970年代以降、ショッピングモールや大型店舗が、地元企業に対してグローバルでの競争という圧力をかけて、小売業界の状況を一変させました。1990年代までは、多くの人にとってネットへの移行が反撃の手段であるように考えられていました。ウェブサイトは、本質的にどれが他より優れているということはないと思われ、最小規模の参加者でも、大企業と同じ手段を利用できるはずでした。

しかし、トムの教訓からわかるように、オンラインへの移行は、現実世界で築いた人間関係や地元とのつながりという、自らの競争上の優位性を放棄することでもあったのです。オンラインで店舗は電子ショッピングモールに組み込まれてしまいますが、その場所でトムは、もはや、いかなるレベルにおける競争でも勝てないのです。トムの店のブログやおすすめ商品は、トムの在庫やレジとは全く関係なく消費されました。トムの見識を示す記事がコンテンツアグリゲータ(情報集積業者)によって検索されて配信されたとしても、その専門知識がトムの商品と結び付くことにはなりませんでした。

ネット上の出来事は、単純化された均一なレベルで起こっています。成功とは、ニッチを見つけることではなく「垂直型」または「水平型」のビジネスを確立することになります。垂直型というのは、自分自身を、特定の業界においてあらゆることを行う場所として位置付けることです。すなわち、ハードウェア、サイクリング関連商品、あるいはホームエレクトロニクスのワンストップショップになることです。水平型は、あらゆるカテゴリーの取引に適用できるサービスを提供することです。たとえば、トムの音楽ウェブサイトでは、そのクレジットカード決済サービスを提供する企業です。いずれの場合も「拡大」とは、ある方向に向かってネットワークの世界、すなわちクラウド全体を突き抜けることです。すべてのものを一部の人に、または、一部のものをすべての人に提供するのです。

最も悪賢いオンライン経営者たちは、「垂直型」「水平型」のどちらの戦略も完璧ではないことに気がつきました。ますます日常の必需品化を深めるネットの状況では、垂直型ビジネスでも水平型ビジネスでも、同業者との競争に直面します。そこではわずかな価格の変化によって優位性は覆り、それを防ぐのは不可能に近いのです。したがって、その経営者たちは、そのようなビジネスを進める代わりに検索エンジン、ポータルサイト、アグリゲータを選びます。すなわち、競合企業よりも1段階高いレベルに進んで、上層にある利益をすくい取ります。あらゆるものが同じクラウドの中に浮かぶ単純化された世界で、周囲の状況や方向を指し示す役割を選択するわけです。

この論理は、金融業界にもぴったりとあてはまるものです。そこでは取引そのものよりも、取引から派生するもののほうが重要になっています。金融における媒体である中央通貨は、製造企業ではなく資金の貸し手の利益に偏向しています。このことの理解が広まると、各企業は実業部門からの離脱を画策し、拡大して持株会社になりました。

たとえばゼネラルエレクトリックのような巨大製造企業は、工場を削減して、キャピタルリース、銀行業、信用取引を手掛けるようになりました。その一方で、すでに銀行業や信用事業に従事している企業も、さらに抽象度を1段階レベルアップして、ヘッジファンド（訳注：さまざまな金融商品に分散投資して高い運用収益を得ようとする投資）を開設したり、デリバティブ（訳注：金融派生商品。元になる株式や債券などを将来売買する約束、将来売買する権利などの取引）を発行したりしました。つまり、これらは1段階下のレベルの経済活動を対象とした上層の取引として、損益が発生します。そのためより悪賢い投機家は、デリバティブのデリバティブ、さらにそのデリバティブ、そのデリバティブ……を発行するようになりました。

従来のビジネスには、抽象化という偏向があります。ネットには、拡大による成功を重視するという特徴があります。この両者が結び付くことによって生まれたデジタル経済には、実際の商取引、需要・供給の法則、価値の創造への偏向がありません。それは、従来の意味での資本主義ではなく、行為というものから全く切り離された、単純化、抽象化された超資本主義です。事実、このしくみの中では、価値を生み出す労働に近い仕事ほど、金銭から遠ざかるようになります。

ネット経済に関する新しい理論が多数生み出されました。それぞれの理論は、カオス数学、システム理論、さらには生物学などからこじつけられた原理を根拠にしています。粘菌の集団的行動は、あたかも市場には意識があるようだという考えの根拠になり、フラクタル幾何学は、社会のある階層で発生した経済行動が他のすべての階層で同じように発生するという証明に誤用されました。これらの新しい考え方は、すべて、デジタルから生まれた原理によるものです。すなわち、あらゆるものが他のすべてのものに対して単純に類型化でき、また、そのように単純化されるべきである、という原理に基づいています。

とは言っても、この単純化によって地球上で実現しているのは、高度に中央集権化された基準に、あらゆる人、あらゆるものを依存させていくことだけです。ネットは、末端部にある小さな企業に力を与えるのではなく、すべての活動が経由しなければならない、中央の権威、インデクサー（検索用インデックスの付与者）、アグリゲータ、通貨にさらに多くの権力を与えてしまっています。検索エンジンがなければ、私たちは迷子になります。中央で管理されたドメインネームサーバがなければ、検索エンジンは迷子になります。さらに、デジタルコンテンツ自体は、データを符号化したり、元のデータに戻したりする必要があるので、そもそも大幅な標準化が必須になっています。デジタルの世界は、人間とその思考を階層制から解放することとは程遠く、全く新しいレベルの中央集権を強要しています。

私たちの気がつかないレベルでは、デジタル世界が指向する単純化・類型化によって、人間の行動はブランドや権威に強く依存するようになっていきます。旅行者が、外国の都市でスターバックスやアメリカンエキスプレスの看板を見て安心するのと同じように、ユーザーは、中央で取り上げられた話題やすぐわかるブランドに依存しがちです。それは、デジタルネイティブの若者たちにとって案内標識のようなものです。彼らは、ものごとを理解したり方針を決めたりするときに、デジタルイミグラント、すなわちアナログからデジタルへの移住者と比べて、ブランドや既存の基準への依存が強くなっています。

行動主義とは、ウェブサイトを探すこと、ウェブでの活動に参加すること、あるいはその主張に「いいね」することです。これらはみな、リアルな場でのかかわりよりも重要度が高いのです。オンラインで学び、判断し、仲間になろうとするときには、誰にでもアクセスできて、かつ世間に受け入れられているシンボルがあることが大切なのです。

同様に、業績とは、自分自身がその普遍的なシンボルになることだと考えられています。デジタルの活動家は、自分が生きる場所で実際に何かを実現することに満足するのではなく、多くの人の問題を解決するウェブサイトを作ることに専念するようになりました。さらに、そのような変化がより進んだレベルになると、最も重要な会話が交わされるウェブサイトを主宰するとか、あるいは、Twitter は1段階下のレベルの活動であるものの、この投稿を使ったまとめサイトの運営で影響力を持ちたいと思うようになります。

このような傾向は、単純化に向かう偏向のあるプラットフォームで作業する場合には、当然のことです。実際に、すべてのメディアは何らかの形で単純化、抽象化に向かう偏向があります。言葉は起こった出来事を、あるいは他の人に起こった出来事を描写できるようになったことで、行為から行為者を分離しました。さらに、文章は言葉を話者から分離しました。印刷は文章を作者から分離し、コンピューターは印刷を紙から分離しました。各レベルの分離において、これらのメディアはより単純化が促進されていったのです。

言語は現実世界の抽象化であり、そこでは音声が物や行為を表現しています。さまざまな人にとって同じ言葉が同じ意味になるようにするために、言語にはきわめて多数の約束事が必要になります。文章はその音声の単純化・類型化です。最初は言葉があり、言葉を発する音があり、そして、今度はその音を小さな曲がりくねった線で表現する文字となります。時間が経つとその文字の姿形は標準化されて、書かれた言語はますます普遍的で実用的になります。もちろん、書かれた言葉は、話者をその言葉から分離します。ある人が言葉を紙に書いたとして、それが読まれるときには、すでにいなくなっている可能性があります。そのメッセージまたは約束を紙に書いたことによって責任が重くなりますが、肉体を伴って読者と同じ場所に存在するとは限らないため、責任が軽くなるということも同時に起こり得るわけです。嘘をつくことが容易になります。

一方で、文章は永続性が高いため、記録や基準など、後になってから参照できるものを文章として残すことができます。文章の発明によって、契約、法律、倫理規範、さらには超越したイデアである神と人間との間の約束事を書いた「契約」すなわち聖書ができました。この文章にもとづく新しい文明である神は、話し言葉によって創造を行っています。

印刷機は、文章を標準化し、書くというプロセスから個人を排し、著者をページそのものから分離しましたが、印刷された本となることで伝達の規模を「拡大」し、大衆が消費できるようにしました。印刷のおかげで、誰も、著者自身やそのペンが記したインクの文字に接していないにもかかわらず、一人の著者は多くの人々と向き合うことができるのです。

最後に、デジタルの時代は、私たちにハイパーテキストをもたらしました。これは、書かれたものの任意の断片が、著者から分離されるだけでなく、元の文脈からも分離されるという機能です。リンクを見つけたら、いつでも元の文書から離れることができます。より重要なのは、その時点において最も重要性の高い誰かの文章の一部や断片に飛んでいけるということです。言葉の世界で、ハイパーテキストの法則は、重大な効果を発揮しており、あらゆるものを他の何かにリンクさせられます。言い換えれば、あらゆるものが世界全体を包含しているということであり、これは、究極の単純化・類型化だと言えます。

もちろん、これは、すばらしいことであり勇気づけられることです。人間の思考全体がホログラムになって、すべての断片が他の断片に反射して、さらには、全体を繰り返し映していきます。道教の観点からすれば、これは正しいのでしょう。

しかし、実用的かつ経験的な観点では、現実世界がうまくつながって世界全体を表しているという話ではなく、言葉とハイパーテキストの関係と同様に、シンボルについてのシンボルが存在する世界である、と示しているのです。私たちは、技術に仲介されてつながっていますが、より高い抽象度のレベルでつながっているのです。

20世紀初頭のドイツの哲学者、ヴァルター・ベンヤミンは、写真やその他の再生技術によって人間と芸術との間の関係が変化するという画期的な論文『複製技術時代の芸術』を書きました。ベンヤミンは、大量生産された本に芸術作品の写真が掲載されることによって、オリジナルに対して不思議な効果が生まれていると言いました。写真は、それ自身はオリジナルの芸術作品とは別個の存在であることは明らかですが、写真になることでオリジナルの芸術作品はより神聖なものになっていきます。オリジナルの絵画は、大聖堂のために描かれたものでは、その大聖堂にかけられていますが、そこにはベンヤミンが「アウラ」と呼ぶものがあります。アウラは、少なくともその場所や大聖堂という環境に付随するものです。本の中で何度も何度もその写真を見た旅行者は、本来の設定された環境の中で実物の絵画を見てそこにしみ込んでいるアウラにひたるために、何千マイルも旅をしてきます。

その一方で、複製は、神聖を冒す模造品です。いいとこ取りした商業的なマスプロダクトと大衆文化の中に存在しています。ベンヤミンは、大衆文化を軽蔑しているのではありません。ベンヤミンの考えによれば、本物の芸術や工芸品はより大きな見世物ショーに引き込まれて、観客は見世物と現実世界を区別する能力や欲求を失っているのだ、ということです。

不思議なことに、ベンヤミンが指摘したマスプロダクトの世界から、さらに単純化・類型化が進んだデジタル複製物の世界に移行すると、私たちは20世紀中頃に大量生産された製品に郷愁を抱いて、それが芸術作品であるかのようにして収集しはじめました。フィルコのラジオ、ヘイウッド・ウェイクフィールドのドレッサー、チェンバーズのガスコンロが、まるでオリジナル作品のように大切に扱われています。もしかすると、クラウドコンピューティングの時代には、自分のコンピューターのハードディスクに「ファイル」が保存されていたことを懐かしく思うようになるかもしれません。あるいは、シリコン脳インプラントの時代になると、ノートパソコンで計算が行われていた日々を思い出して感慨にふけるのかもしれません。より高度な単純化・類型化へ進む流れの中では、それ以前にあったものが、何でも本物のように思えるのでしょう。

しかし、単純化に向かうデジタル技術の偏向を知れば、それを私たちにとって有利に使うことができます。ベンヤミンが示した、印刷された美術書の絵は人々に実際の絵を見るための現実の場所への訪問を促すという例と同じように、デジタル技術をうまく利用すれば、本物を見る以上に現実的で詳細な観察を私たちに示せるでしょう。

その一例として、Fantasy Baseball（ファンタジー・ベースボール）というゲームが与えた影響を考えてみましょう。Fantasy Baseballは、最初は１９６０年代にＩＢＭのコンピューターで開発されました。ゲーム参加者のチーム編成には、野球シーズンの成績に基づいて各選手にポイントが付けられています。現実の野球チームとは関係なく、ファンが自分の想像で勝手にチーム編成を作るのです。勝敗は、現実世界で行われている野球から完全に単純化・類型化されたレベルで決まります。他のデジタルシミュレーションと同様に、このゲームの体験は、参加者に力を与えます。事実、Fantasy Baseball が大流行したのは、フリーエージェントやメジャーリーグのストライキによってファンが野球に反感を持ったときでした。野球がビジネスになっていくと、ファンは野球をゲームという形で自分たちの手に取り戻したのです。

その影響は、コンピューターだけにとどまりませんでした。デジタルの単純化という巨大な力を逆に現実世界が利用しはじめたのです。オークランド・アスレチックスのコーチ、ビリー・ビーンは別の目的で、すなわち、自分の大リーグチームの選手編成を組み立てるために、これと同じ種類の統計モデルを選手に適用しました。ビーンのチームでは、選手の報酬予算がニューヨークやロサンゼルスのチームほど多くはありません。そこで、報酬以外の手段を使って、勝てるチームを構築する必要があったのです。ビーンは、獲得できる選手を抽象化しモデル化することによって、最下位にあったチームが地区優勝を遂げるまでに成長させたのです。資金が試合を支配する風潮に対抗したわけです。それ以来、多数の Fantasy Baseball プレイヤーおよびデジタル統計学者が、大リーグチームに雇用されて、フロントオフィスの経営に参加するようになりました。

デジタル世界のように本質的に抽象化された環境で生活や仕事をすることの危険性は、確かにありますが、そこには利点もあります。抽象化は言語が出現した頃から、もしかするとそれ以前から存在しています。貨幣、数学、神学、ゲームは、すべて、抽象化されたシンボル体系、認知されたルール、ある程度の権威がなければ不可能です。デジタル世界も、その点では全く同様です。

しかし、デジタルの抽象化は、私たちが現実だと思っているところよりも1段階進んだレベルで行われています。ゲームや数学は、現実世界を抽象化した表現ですが、デジタルシミュレーションは、そのゲームや数学をさらに抽象化した表現です。このような表現で満たされた世界では、記号に心を奪われて、自分のいる場所や時間を見失いやすくなります。ポストモダニストが気づかせてくれるように、モノがあって、モノに代わる記号があって、記号に代わるシンボルがあります。ポストモダニストが心配したのは、シンボルで定義された世界で生活するようになると、現実の物に触れることがなくなるということです。シミュレーションされた現実に気を取られて、私たちが大切にしなければならない人や場所から分断されるのです。

人々がヘッドホンをつけ、スマートフォンをのぞき込みながら歩いている、そんなデジタルの殻に包まれた姿を見ると、シミュレーションの発展に対するこんな悲観的な評価に同意せざるを得なくなります。

けれども、ポストモダニストが見落としていたのは、このようなシンボルの世界を作り出したツール、すなわち文字やコンピューターが、その使用方法も含めて私たちみんなが利用できる状態で残っているということです。加えて、私たちが今でもそれを使いたがっているということでしょう。私たちは、自分でシンボルの世界を作り出すこともできるのです。

第6章　個性

匿名ではない自分自身として生きる

VI. IDENTITY

Be Yourself

匿名ではない自分自身として生きる

私たちのデジタル体験は身体とは別にあるものです。これによって、個性のない行動に向かう偏向が生じます。身元情報は負債のように重荷として扱われます。他人とのかかわりで匿名が進めば進むほど、自分の言動に対して人間的な反応が返ってくることは少なくなります。見かけ上は安全そうな匿名という誘惑に抵抗していくべきです。私たちは、自分自身の責任と存在を守っていかなければなりません。そうすることで、デジタル世界に人間性を持ち込むことができるのです。

サンフランシスコ湾岸地域を拠点とする、初期の電子掲示板 WELL は、ログインすると「You Own Your Own Words（あなたが有するあなたの言葉で）」というメッセージで参加者を迎えました。これは多くの人にとって著作権の確認でした。つまり、あなたがこの掲示板に投稿した記事は、すべてあなた自身に帰属するものであり、他人は許可なくその記事を公表することができない、という意味でした。また、私を含む一部の人にとって、この「You Own Your Own Words」という言葉は、著作権の確認だけでなく、倫理的基盤としての役割を果たしていました。あなた、すなわち、モデムの前にいる人間は、この場所での言動について責任を負っています。あなたには責任があるということです。

WELL は、先見の明がある文化の先駆者たち、スチュアート・ブランド、ラリー・ブリリアント、ケヴィン・ケリー、ハワード・ラインゴールドらによって創設されたので、彼らが、オンラインによる人間と言葉との分断を一部だけでも埋め合わせしようと考えていたのも驚くことではありません。そういうわけで、私は最初から、オンラインでは本来の自分でいることに決めました。インターネットでは、ラシュコフという一つの名前をだけを使ってきました。本当に危険なのは、政府や企業、あるいはどこかにいる「ビッグブラザー」が、私の投稿について、未来のマッカーシー公聴会で私を糾弾することだけだと考えました。もしそうなったとしても、私たちみんなが自分の発言に対する責任を負うことを習慣にしていれば、発言や信条について訴追されたり迫害されたりすることはないはずです。何と言っても、ここはアメリカなのです。

オンラインでの自己認識について私が厳格な態度を取り、実名を出していても、匿名の人々と比べて、権力に対して弱い立場になることはありませんでした。

最近のことですが、私は悪名高いネット掲示板を擁護する記事を書きました。その掲示板は言論の自由を妨害しているとか、あるいは、邪悪であると彼らが決め付けた企業や団体への反対活動をする若いハッカーたちの集まりでした。ときには、ビデオの映像を意図的に作り替えてしまう巧妙ないたずらをしたり、また、あるときには、「敵」のサーバーに過大な負荷をかけるプログラムでサイトをクラッシュさせたりしました。彼らが利用していたインターネットプロバイダーとの行き違いから、サイトが短期間利用できなくなることもあり、また多くの権威者やジャーナリストとのオンライン戦争が勃発して、掲示板を閉鎖するよう要求されたりもしています。私は、このサイトに1か月ほど潜入しました。下品なもの、さらには不法なものも一部に見受けられましたが、それはそれとして、私は彼らの存在を擁護する記事を書いたのです。彼らは厄介な集団ですが、インターネットにも野性的で管理できない側面があるのは、場合によっては安心させられることでもあるのです。

さて、私が記事を書いたオンラインマガジンは、その記事をやや扇情的に構成しました。デジタルの偏向による「ページビュー」稼ぎです。そのためその掲示板の連中は、私が中傷記事を書いたと思い込みました。記事が掲載された数分後、彼らは、私をやっつけることに決めました。蜂の巣をつついたようになり、私の意図がどうであろうとも関係がなく、怒り狂った数十人の匿名の若いハッカーが私を攻撃しはじめました。私の個人情報を探し出して公開したり、私のウェブサイトやオンラインマガジンのサイトをクラッシュさせたり、私の関係する電話番号に自動発信で電話をかけたり、その他いろいろな攻撃をしてきました。しかし、大部分の情報、写真、電話番号は不正確で、無関係な多くの人が自分の家の写真や個人の電話番号をネットで公開される結果になりました。これは愉快なことではありません。匿名の攻撃者たちは、私の記事の削除を要求しました。しかし、その要求を受け入れたとしても、彼らの攻撃がそれで終わるわけではなく、その対象を他に移すだけでしょう。

そもそも、オンラインにおける言論の自由を守ると自称するグループが、彼らを擁護しているはずの文章を強制的に検閲することになったのは、なぜでしょうか。それは、匿名で活動しているからです。

敵対的で個人性から離れたネット環境では、身元の情報はその人の負債です。私に対する連中の武器は何でしょうか。私の名前、住所、自宅です。誰かの自宅の写真をオンラインに掲載することに、どういう意味があるのでしょうか。我々は、おまえが住んでいる場所を知っている。我々は、おまえを捕まえることができる。――ただし、その「我々」というのが誰であるかは全くわかりません。

オンライングループでの匿名状態は、単に復讐から守られるだけではなく、群集心理による行動を発生させます。彼らは、個人として恐れることは何もなく、離れた場所、見えない場所から行動することに慣れています。その結果として、デジタル技術の最も非人間的な傾向をさらに激化させて、怒りを持って破壊的かつ機械的に行動するようになります。彼らは、人間から暴徒に変身するのです。

この問題の影響を緩和する方法は、私たちが匿名性に逃げ込むのではなく、いつも現実の人間として身元を明示することです。現実世界で、知り合いが少なければ少ないほど、近隣での危険度は高くなるのと同じことです。

もちろん、自分の銀行口座や個人情報は、常に非公開にするべきです。投稿、活動、交友関係はどうでしょうか？　それは、実際には自分から出している情報です。オンラインでの自分の言動に責任を取ろうとしないならば、私たちは、自分の性格の最悪な部分、あるいは他人の最悪な性格を反映した行動をとる可能性が高くなります。デジタル技術は、個人性をなくす偏向があるため、本当に必要なとき以外は、匿名で行動をしないように努力するべきです。私たちは自分自身として生きていかなければなりません。

確かに、匿名性が必要とされる場合もあります。たとえば、イランの反体制派の人々は、その発言によって殺害される危険があります。匿名での投稿は、検閲と処刑を行う政府の権力を認めることになりますが、その一方で、活動家の命を守っています。しかし、多くの人に賛同してもらうという期待を持って自分の信念のために立ち上がることも、大きな政治力になります。ゲイであることを公表している人のおかげで、それ以外の人々も自分の性的指向を公開しやすくなります。つまり、自分らしく生きることができます。同様に、東欧の独裁国家の街頭で平和的に抗議行動をしていた数百万の人々は、多数の個人の集団であって、匿名の群衆ではありませんでした。一人一人の人間性や個性の集合体が、彼らの力になっていました。

デジタル技術は集団的行動を可能にしますが、このような人間性や個性の集合体を形成するという偏向はありません。デジタルでの行動は身体とは別のところで発生します。電子メールを送信するとき、ブログ記事にコメントするとき、あるいは、オンラインゲームのアバターを動かすとき、私たちは、コンピューターの中にいません。議論の場にいません。友人たちとの想像上の空間にもいないのです。私たちは自宅や職場で、コンピューター端末やゲーム機の陰にいます。身体とは別に、また、身元情報から解放された状態で操作しているのです。

これは、個人的な行動によって生じる結果とは無関係に行動してもいいのだという誤解を助長するかもしれません。もし、匿名性を維持することを選択したとすれば、私たちは、見かけ上安全な隠れた場所から他人を攻撃する可能性が高くなります。ウェブサイトの管理者は、今までの経験からよく理解していることですが、掲示板に匿名で投稿できるようにすれば、会話はすぐに「中傷合戦」になり、あからさまな暴言ばかりになります。コメントするために登録が必要であれば、必ず、会話のレベルも礼節のレベルも高くなります。

それは身元を明らかにすることによって、ユーザーを探して捕まえられたり、行為の影響を認識することで、常軌を逸した行動や違法な行動の大部分を抑制できたりするのかもしれません。しかし、それだけでは身元の明示で行動が違ってくる理由の説明としては不十分です。特定のオンライン環境のなかだけのユーザーの個性を作り出した場合にも、同じように礼節に対してはかなりの効力を発揮します。

たとえば、ゲーマーが何か月もの間、同じキャラクターでプレーしていると、そのキャラクターを自分の拡張として大切にするようになります。現実世界の自己とそのキャラクターとが無関係であるとしても、そのキャラクターをコミュニティーの一員とするために現実世界の時間を費やしています。プレーヤーは、何か重要なものをそこに感じるようになっています。

同様に、多くの掲示板では、他のメンバーから価値があると認められた投稿をした人に信用ポイントを与えています。このようなポイントを獲得するためには、何年もかかる場合もあります。イーベイ（eBay）の「セラーレーティング」のように、獲得するのにオンライン環境で時間がかかるものは、それが身体のある現実世界とは別であっても重視されるのです。

もちろん、バーチャルコミュニティーに熱中している人たちの当初の期待は、オンラインでの交流が身体とは別々だからこそ、長年にわたる偏見を解決するのに役立つはずだということでした。ネットでは、実際に他の人を見ることができないので、他の参加者の人種、年齢、性別、学歴を推測して対応することがよくあります。大学教授が知らない人とオンラインで長い討論をしているときに、その相手が専門家ではない素人であったり、10代の若者であったりします。また、有色人種がビジネスコミュニティーで初めて平等に扱ってもらえたという話もあります。このような逸話は、確かに励みになりますが、それは偏見に対する勝利というよりも、偏見を迂回したということなのかもしれません。知らない人を平等に扱うのは、その人が私たちと同じだという勝手な思い込みにもとづくものです。偏見を通じて人を見ているのではなく、むしろ、その人を見ていないのです。

私たちのオンライン体験には特徴があって、それは視覚よりも言葉に依存すること、社会的手がかりや表情を読み取るのが困難であること、共感が欠如しているように見えること、アイコンタクトができないことなどです。これはつまり、私たちがオンラインでキーボードをタイプしているときに、相手のメッセージを誤解したり、意図せずに相手に無礼な行動をしたり、相手の言葉を深読みして裏の裏を読み取ろうと無駄な努力をしたりしがちである、ということです。

最も信頼できる推計[*4]によれば、人間のコミュニケーションのうちわずか7%だけが、言語レベルで行われています。声の高さ、大きさ、その他の声の調子は38%を占め、ジェスチャーや表情などの身体の動きの割合は、55%と大きくなります。私たちみなが経験しているように、アイコンタクトのしかたによって、言葉で表現するよりも多くのことが伝えられているのです。

オンラインでは、現実世界で7%しか占めていない、言語という要素にすべてを依存しています。つまり、私たちは安全であるかを感じ取ったり、信頼関係を築いたり、賛意を示したりするためにいつも使っている手がかりもなく、相手が本当に言いたいことは何か、あるいは、こちらをどのように考えているかがわからない状態に置かれています。私たちの脳にあって、相手の行動を一瞬にして把握する「ミラーニューロン」という部分は、停止状態のままです。誰かが賛同してくれた時に放出されるはずのドーパミンは流れません。実際にその場にいれば特に問題ない状況であっても、オンラインでは疑念を抱いて、防御のために身をかがめたままになっています。

見えない、聞こえない、話せない世界に住んでいることを想像してみてください。そして、提示される文章だけを頼りにして、他の人々が何を言おうとしているか、そして、あなたについてどう思っているかを判断しなければならないとしたらどうでしょうか。さらに、これに加えて、他の人々が本当は誰であるかを全く知らないのです。

現実社会の7％だけの世界で生活していると、実際に影響が出てきます。MITの研究者、シェリー・タークル[*5]によれば、オンライン世代の10代の若者は、相手に謝罪することが、まったくとは言わないまでも、ほとんどなくなっているとのことです。誰かに悪事を働いて捕まったとき、自白はするものの決して「すみません」とは言いません。犯罪の事実の供述が、それに関する感情よりも重要であるかのようです。遺憾の意は、残りの93％とともに消えてしまっています。

身体とは別の世界にあって感覚が鈍っているのかもしれませんが、若い人たちはオンラインで、その埋め合わせのように自己顕示欲を示します。ソーシャルネットワークサイトやビデオチャネルを利用している若者は、自分がはっきりと写っている写真をネットで公開しています。それはお金が欲しいからではなく、また「欲しいものリスト」にある品物を誰かからプレゼントしてもらいたいからでもありません。単に注目されたいからです。彼らは、投稿したものがすべて永久に残って、将来、就職先や配偶者を探すときに困ったことになるのを知らないか、あるいは気にしていないようです。

ネット上で技術的に最も進歩した若者の感覚には、いくらかの慰めがあるかもしれません。彼らの考えでは、現在、彼らがオンラインで苦闘しているプライバシーの喪失や自己認識の崩壊は、人間が完全にテレパシー能力を獲得した将来のための準備、あるいは試運転なのです。何らかの形で進化した未来に、すべての思考を完全に共有している状況がやってくるとすれば、それに対処するための準備として、今、他人の頭の中を見るというのはどういうものなのかを体験しているのだと思っているようです。

すこし考えてみましょう。オンラインで大量に共有するのは、身体とは別にある世界で長時間過ごしていることへの予測どおりの反応でもあります。その世界では、何も定着しないし、現実で感じるレベルのものは何も残らないように思われます。この考えが生んだ最もわかりやすい対応は、共有の量と強度を増大させることなのです。

若い人たちにとっては残念なことですが、デジタル世界は永続的です。そのため、青春時代そのものである自由な実験の機会を彼らから奪います。人目につかない自動車の後部座席で、あるいは金曜の夜にグラウンドの観客席の裏側で、10代の若者たちがこっそりと何をしているのかを考えることは、親たちにとっては楽しくないかもしれません。このような自由な実験結果は、どこかに半永久的に記録されるわけではないと思うでしょう。しかし、デジタルの記録は永久的に残るのです。パルテノン神殿の壁に刻まれた文字よりも長く。

ネットの永続性を完全に認識して経験することによって、ひねくれたユーザーは、より高いレベルの匿名性に進んでしまいました。結局のところ、ブログや記事に対するコメントは、将来の雇用主がそれを見て職業への適性を判断するために利用することもあるというなら、何も発言しないほうがましだ、あるいは、少なくとも自分の名前を付けずに発言しよう、と考えてしまいます。

けれども、このような感情に入り込むことには、実際の代償があります。ネットでの礼節、自己表現の一貫性が失われます。そしておそらく最も重要なこととして、社会の開放性が失われます。

ひとたびこの匿名という状況に屈服すると、まず存在感が薄くなり、自分の行動に対する責任感が低下し、恨みが投稿ににじみ出てきます。他人に与える影響を感じにくくなります。さらに、他人に与える影響を感じにくくなることで、知っている人からも、あるいは名前や顔がないまま交流する相手からも反感を買いやすくなり、結果として人をより匿名性の高い行為者にしていきます。

その一方で、実名で活動してオンラインでの自己認識を厳密に維持することは、解放感と自信を与えてくれます。ネットに提示するものすべてが非公開ではありえないと気づいた私たちは、引用、共有、リンクされるのを誇りに思えないような発言はしないということを学んでいます。

私たちは、喜んで所有できる言葉でなければ、デジタル世界に送り出したりしてはならないのです。

後注

4. Mele Koneya and Alton Barbour, Louder Than Words: Nonverbal Communication, Interpersonal Communication series, (Columbus, Ohio: Merrill, 1976).

5. Sherry Turkle, Alone Together: Why We Expect More from Technology and Less from Each Other (New York: Basic Books, 2011).

第7章　社会

友人を売り渡してはならない

VII. SOCIAL

Do Not Sell Your Friends

友人を売り渡してはならない

人間性を失わせる特徴が多くあるにもかかわらず、デジタルメディアは、社会性を高める偏向があります。人間と技術が相互に絡み合い進化していく過程においては、人と人を結びつけるツールが発展します。そして、そこでの方法は、人を結びつけていないツールにもすぐに伝わります。デジタルメディアの偏向は、人の相互のかかわりを増やすことにあり、コンテンツとのかかわりを高めるものではない、まして、現金とのかかわりを高めるためではない、と私たちは覚えておく必要があります。そのことを忘れていると、デジタル技術を生み出した見返りとして、デジタル技術から人間へ提供されるはずの重要な贈り物を、私たちは見失い、自ら捨て去ってしまうリスクを冒すことになります。

国防総省向けに最初のコンピューターネットワークが開発されて間もない頃、そのシステム管理者は、不思議なことに気がつきました。アカウントを持つ科学者たちは、個人的な研究の関心事や好きなSF小説について話すことに、公式業務よりも多くの時間、通信回線を使っていたのです。

インターネット（当時はARPANET）は、技術的に成功を収めましたが、好きな研究や趣味を語る親睦的な利用が圧倒的に多数を占めるようになりました。政府は、それを手放すことを決定しました。AT&Tは後を引き継ぐという話を辞退しました。結果的には一種の見識だったのかもしれませんが、彼らにとっては、学術や親睦のための環境と思われるものが、ビジネスに利用できるようには見えなかったのです。政府は研究目的の利用に限ることを条件として、大筋においてはネットを自由に解放することにしました。

ネットが使い物になるとは誰も思っていませんでした。なぜならば、ネットワーク経由で人々が会話するということが、経済面では何の発展性もない行き止まりのように見えたからです。当時のネットは、よく市民バンド（CB無線）と比較されました。これは一時期大流行してトラック運転手らが盛んに利用していましたが、そのトラック運転手の文化や業界用語を取り上げた映画が公開される頃には衰退してしまったものです。

私が書いたインターネットに関する最初の書籍は、実は、1992年に出版社に却下されました。というのも、その本が完成して店頭に並ぶ翌1993年には、ネットは「終わっている」と出版社は考えていたからです。

親睦的で非商業的なネットは、どんどん発展しました。1994年には、ある調査によれば、コンピューターモデムを所有する家庭での1週間のテレビ視聴時間は、平均9時間減少したと言われます。

販売業者にとっては良くないことです。なぜなら、その減少分は全くコマーシャルのないメディアで人が過ごす時間になったからです。最終的には、自社のサービスをオンラインで推進しようとした小規模企業による規則違反が何度か起こった後、ネットの商用利用が認められました。事実上この流れを押しとどめることはできない、というのが立法者の論拠でした。

ついに、企業はネットを使って自由に商品を販売できるようになりました。思い付くあらゆる単語に「ドットコム」をつけて、みんながそこに参加しました。一部の企業は確かにオンラインで成功を収めましたが、大部分は失敗しました。悲惨なことは、それに伴って株式市場が下落したことです。

これはネットのせいではありません。株式市場は1980年代のバイオテクノロジーバブルの崩壊の後、市場を牽引する新しい活気のある業界を探していました。そこに突然、デジタルメディアが21世紀の電子ショッピングモールとして爆発的に発展してきたため、溢れた資金の投資先として最適な場所のように思われたのです。問題は実際には大部分のインターネットビジネスが、あまりベンチャーキャピタルを必要としないことです。

3人のハッカーが集まって数千ドルを出してサーバーを買えば、ガレージでオンラインビジネスを始められます。さらに、インターネットユーザーは、ネチネチとしつこくて強引に作られている販売店舗のサイトよりも、ネット上のチャットルームや会議室で時間を過ごすことが多いのです。そして、今までずっと無料だったメディアに金を支払うなどの事態には、体質的かつ習慣的に背を向けます。

とにかく、私たちは物が欲しいのではなく、人と人とのつながりを求めていたのです。ドットコムブームの後には激しいドットコム暴落が到来しました。少なくとも大部分のビジネスマンやジャーナリストは、これでネットが終わったと考えたようです。

しかし、自分の好き勝手にできるようになったネットユーザーは、ブログを始め、そこでリンクしたり、コメントしあったりしはじめました。活発だったドットコムブームのおかげで、信頼性の高いネットワークと高速な接続ができています。それを今では好きなように使えます。

ウェブには企業もまだ存在していましたが、接続と通信の内容は個人間のやりとりが圧倒的多数を占めました。コンテンツが王様ではなく、つながりが王様なのです。そして、今では「ソーシャルメディア」と呼ばれているものが誕生しました。

賢い企業はそこに注目しました。AOL、ジオシティーズ（GeoCities）、フレンドスター（Friendster）、オーカット（Orkut）、マイスペース（Myspace）、Facebookは、このような社会的エネルギーを自社のサービス領域へと集約させ、収益化できるようにしました。投資家たちはこのデジタルのつながりと交流の中で、売り物になるマーケティングリサーチができる、何らかのモデリングができる、人々の接点を販売の手がかりに変える方法がある、と考えました。

このようなソーシャルネットワーク企業は、ネットがソーシャルメディアになるのだと誤解していました。そうではなくて、ネットはすでにソーシャルメディアなのです。インターネットとは、ソーシャルメディアを何か別のものに変えようとする試みに対して再三にわたって反抗してきた歴史だ、と考えればよく理解できるはずです。そして、今でもそれが続いています。

デジタルネットワークは社会的なつながり、すなわち接触への偏向があります。利益を得るためにこのつながりを変化させたり乗っ取ったりしようとする動きは、ネットワークそのものの本質を損ない、また、つながりの真の価値を損なうことになります。

人々はソーシャルネットワークが何か別の目的を果たそうとすると、それを感じ取れるのです。オンラインでソーシャル分野の活動を独占している企業は、永遠に続くように見えますが、いつか、それを集めるのにかかった時間よりもずっと早く支持者を失っていきます。あるネットワークが衰退し始めると、ユーザーは次のネットワークに集まって、つながりを再構築し、自分たちの親睦を続けることになります。商業的ソーシャルネットワークサイトは、永遠に繁栄するように見えても、最終的にはその先行者と同じ運命をたどります。だからこそ、この本ではあまりブランド名を出していないのです。現時点では永続的だと思われている有力企業でも、主役におどり出たときと同じくらいすばやく忘れられてしまいます。

コンピュサーブ（CompuServe）を覚えていますか？　アメリカオンライン（America Online）は？　マイスペース（Myspace）はどうですか？　デジタルメディアが持つ社会性への偏向は、ある特定のビジネスへと向かうことを拒絶します。

この本質的な偏向は常に、ネットユーザーの恐怖心あるいは身勝手であると誤解されています。ソーシャルネットワーク・サイトの方針変更について人々が怒りを抱くのは、プライバシーの侵害に関することよりも、友情を収益化していることに対してです。人々の行動から集められた情報は、親睦以外の目的に使われている、これが不気味に感じられているのです。友達は、売ったり買ったりするものではありません。

多くのインターネット企業は、しかし、まさにこれを実施しようとしています。あらゆる規模のあらゆる企業は、そのブランドを拡大するための「ソーシャル戦略」を模索しています。各企業は顧客向けの独自のソーシャルネットワークを構築して、あるいは、既存のソーシャルネットワークで自社のページを作って、そこにいる数百万人の潜在顧客から「友達」や「ファン」や「いいね」を得ようとしています。それは、インターネットを良質なメーリングリストか何かととらえ、これを使えば、すでにネットの破壊力と透明性によって衰退した自社のブランドが再生する、と考えているかのようです。

彼らが理解していないのは、企業がソーシャルに進出するには遅すぎるということです。企業はすべて、すでにソーシャルなのです。透明性はインターネット時代の企業の選択肢ではなく、もはや既定の事実です。人がいるところには会話があり、それは何らかの企業のページやハブの有無にかかわらず存在しているのです。企業が何をしているか、あるいは、うまくやっているかどうかはとっくに話題にされているわけです。

もし彼らが望むならば、「ソーシャルに進出する」ための本当の方法は、ページの友達やメッセージのフォロワーを増やすことではなく、自社の友達やフォロワーになっている人々が相互に友達やフォロワーになるようにすることです。それが、ピアツーピアのネットワークメディアで文化を生み出す方法です。ネットワークを活用しようと思うのであれば、既存のつながりを収益化したり仲介したりすることではなく、まだ知り合いではないけれどお互いを必要とする可能性のある人々どうしのつながりの育成に注目するべきです。そうなった後で、その人々がするべきこと、すなわち社交や親睦をしてもらうのです。

もちろん、今日の「友達をお金に換える」ソーシャルネットワークが長く生き残ったり、後継ビジネスが続々と出てきたりすることで、ゆがめられた基準がユーザーに受け入れられる恐れ、それが当然視されまでする危険はあります。ソーシャル領域の不当な利用が仕込まれたネットワークで成長した若者たちは、下心のない、人間本来のつながりという理想を持ち続けている私たちと比べれば、この状況にあまり憤慨しないでしょう。オンラインの持つ社会性を高める力とその商業的な利用が、混在できるものと理解されるようになるならば、それは従来とは異なる人間の新たな行動規範となるでしょう。

若者だけでなく、多くの人々は、オンラインの友達に自分自身を正確に伝えないことの倫理的な欠点が見えなくなっています。「あるバンドを聞いたことがなくても、お金をもらってネットワークのみんなに私がそのバンドのファンだと言って何が悪いの?」「みんなしている」「購入者の自己責任だ」。

ここでの問題は、この人たちが話している相手が、買い手ではなく友達だということです。彼らは、オンラインのソーシャルネットワークが自分の個人生活とは別のものだとは考えておらず、同じ世界のことと思っています。仕事では冷酷なビジネスマンが家庭では愛情に満ちている、という話とは違って、彼らは友達にも他人にも同じように冷酷です。これは一貫性があるのかもしれませんが、進化しているとは言えません。誰に対しても平等、ということを誤解しています。

当然ながら、不当に利用されてしまう可能性が高いのは、確信を持ってこのように行動する人です。だからこそ、特定のインターフェース、ツール、プログラムが私たちの行動に影響を及ぼしていると気づくことが重要なのです。

ソーシャルネットワーク・サイトには、さまざまな機能、ゲーム、活動が満ち溢れていて、抵抗し難い中毒性がありますが、最終的にはネットワークのメンバーよりも所有者が利益を得るものです。ゲームで何か行動をすると、ただちに、そして通常は目に見えない形で、その人のネットワーク全体が迷惑メールの配信リストに加わります。友達および友達の友達を、そのゲームの本当の顧客、すなわち市場調査会社や広告主に売ってしまったのです。

プレーヤーは自分のソーシャルネットワークの「侵害行為」の対価として、現金を受け取るわけではないものの、ゲームのポイント、新しい能力、ゲーム内の財宝を受け取ります。これは贈収賄のようなものでしょうか。いいえ、少し違います。これは単なるゲームのルールです。最初のいくつかの社会的障壁が崩れると、ソーシャルネットワーク・サイトの「友達」に無礼をはたらくリスクよりも、ゲームの世界における賞金のほうが現実的だと感じられるようになります。その友達は本当の友達ではありません。ゲームの素材にすぎません。

ただし、悲しいことにその人たちは、以前は本当の友達でした。オンラインあるいは現実世界で築いた、このバーチャルなつながりは、社会的現実が拡張されたものです。この人たちは病気になったときに良い医者を探してくれたり、失業したときに支援してくれたり、身内が亡くなったときに慰めてくれたりします。旅行しているときに寝る場所を見つけてくれたり、土曜の夜にすてきなパーティーに連れて行ってくれたり、学際的な研究に興味があれば大学院を紹介してくれたりします。ただし、究極的には、このようなつながりにおいては、彼らが何かをしてくれるということよりも、彼らが私たちみんなとつながっているということ自体に、より大きな価値があるのです。

友情は、デジタルでも現実でも価値を生み出します。これは自分の生活でつながりのある人々を商品として集めたり数えたりできるという意味ではありません。人間はバラバラに販売できるものではなく、ネットワークを構成する生身のメンバーです。ネットワークの価値は、自由に参加したり脱退したりできる社会という背景があってこそ実現できるものです。私たちは、その価値をまだ十分には解明できていません。

コンテンツは、決して王様ではありません。つながりが重要なのです。しかし、ネットワーク技術によってもたらされる新しいレベルの人間のつながりや協働の可能性は、今までほとんど利用されていませんでした。人間はコンテンツ、すなわち売買できる資源ではないということ、みんなが知らないうちに構成している大きな生命体の仲間の細胞であるということを、私たちはなかなか理解できませんでした。他人が与えてくれるものに期待してつながりを拡大することだけを重視し、つながりそのものが持つより大きな価値を見落としています。

このつながり、すなわち社会的生命体を構築しようとする願望は、当初からデジタル技術の推進力でした。つながりを拡大するという本能は、人間がさらに大きなものになるための進化的な必然性です。原子が結合して分子になり、分子が集まって細胞になり、細胞が集まって生物になるのと同じように、人間という生物は、ネットワークを構築して、より大きなレベルの生命体になっています。

これは、私たちが生活に取り入れてきた対話型機器の真の利点です。ネットがCB無線の生まれ変わりだとして切り捨てる人たちは、ある意味では、それをよく理解しています。私たちは相互に対話するための新しい方法を模索し続けています。悪い冗談を書き並べて相互に送信していた、あのばかばかしいファクスから、携帯電話で送るツイートに至るまで、新しいコミュニケーション技術は、新しいつながりを構築する理由を提供しています。

コンテンツは、メッセージではありません。つながりがメッセージです。Ping（訳注：ネットワーク接続確認のためのコマンド）そのものがメッセージです。それは、有機体が目を覚まそうとして送っている脳への刺激、シナプス伝達なのです。

第８章　事実

真実を語ろう

Ⅷ. FACT

Tell the Truth

真実を語ろう

ネットワークは、真実を検査するための血清のようなものです。何か正しくないことをオンラインに載せると、最終的にはそれが嘘であることが明らかになります。デジタル技術には、フィクションに反対して真実に向かう偏向があり、物語に反対して事実に向かう偏向があります。つまり、コミュニケーションを取る人々にとって、この空間での唯一の選択肢は、真実を語ることなのです。

メディアと言われるものが生まれるずっと前から、人々の情報交換の大部分はバザールで行われていました。ここは市場と社交場を兼ねる場所であり、人々はそこで商品を売買し、友達と会い、そしておそらく最も重要な機能として、世界の出来事を知ることができました。人々は家庭で話をすることのほうが多かったでしょうが、だからこそ新しい考え方に触れるのは、社会的で商業的な世界であるバザールだけだったのです。そこでは買い物から、娯楽、賭け事、ロマンスに至るまで、あらゆることが行われました。市が立つ日は大勢がひとところに集まる数少ない機会なので、ユダヤ教の地ではそこでトーラーが朗読されました。

バザールでの活動は、多種多様な関心とつながりが重なり合っているものでした。宗教と政治が、ロマンスと商売が、娯楽と金貸しが混在していたのです。みなが誰かとあらゆることについて話をしていました。パン屋が友達の婚約のニュースを知らせたり、僧侶が新しい鍛冶屋を推薦したりしたのでしょう。そして、物語の語り手も少しはいましたが、そのほとんどがよそから来た者たちによる異国の文化の話でした。人々の交流の大部分は、ノンフィクションにもとづくものだったのです。彼らの話題は、今日は誰の売っている果物が良いとか、誰と誰が寝たとか、天気、収穫、地元のニュース、あるいは教会の権力争いなどでした。彼らにとっての神話的な題材は、ラビが読み聞かせるトーラーの巻物、あるいは僧侶が朗誦する儀式だけです。当時の双方向型メディア、すなわち会話は、ほとんど全部が事実に基づいていました。

この情報交換は、すべて彼ら自身と彼らの環境を向上させるものでした。彼らの間で受け渡しされる思想、今で言う「ミーム」です。ミームとは、文化の中で人から人へと拡がっていくアイデア・行動・スタイル・慣習です。それは遺伝子のような働きをしました。人から人へ渡され、それが有用で強力であれば複製され、そうでなければ消滅しました。

遺伝子の自然選択によって種がより強くなるのと同じように、社会はミームの自然選択によってより強くなっていきます。ミームは広く流布するようになったアイデアです。穀物の領収書を交換するというミームは、1対1の物々交換だけに依存するものよりもうまく機能したため、このミームが普及して、多くの町で貨幣制度が発達します。また別の人は、粉ひき用の風車の機構に第2のギアを組み込むアイデアを考えました。それがうまく働き、他の粉屋たちもその技術革新を学び、第2のギアというミームが複製されて広まります。「ジョーはサムよりも良い靴を作る」とか「今年は種まきを1週間遅らせる」というミームについても同様です。私たちは、正しいと思うアイデアを広めることで、他人から見た自分の価値を高めようとしています。

このように、バザールによって封建社会の小作農たちは、繁栄する新たな中産階級へと変わっていきました。個人が自分の状況を向上させるために必要としたものが常に流動し、混合されて、改善していく文化でした。中世後期まで、バザールは個人対個人の経済として非常にうまく機能していき、貴族政治は崩壊し始めました。農民だった人たちが中流階級の商人や職人として台頭してくると、彼らは食料や保護を求めて封建領主に依存する必要がなくなりました。何世紀にもわたって権力の座にあった貴族は、その基盤を失っていったのです。

王族はこの流れを逆転するために、財政専門家を雇って二つの大きな革新を考案しました。一つは中央通貨です。これによって、その国の通貨以外の交換手段を誰も利用できなくなり、要するに、王族の金庫から利子付きで借金せざるを得ない状況になりました。これはすでに資金を持っている貴族階級が、単に資金を持っていることによって容易に儲けられる方法です。

二つめの発明は国王が許可する勅許会社です。国王が公式に認可した独占企業とは競合が禁止されました。要するに自分で商売することができなくなって、国王が投資したいずれかの企業で働かなければならない状況になったのです。

こうして封建制度を崩壊寸前に追い込んだ個人対個人のバザールは廃止され、封建制度は大企業が支配する資本主義に進化しました。そして残念なことに個人対個人の経済とともに、個人対個人のコミュニケーションも消滅しました。

企業は人間どうしのつながりの代わりに、ブランドとのつながりを作ろうとしました。ビールを醸造家のボブから買うのではなく、公式に認可された独占企業から買うことになります。ビール瓶に付けられたマークが、今までの人間どうしの関係に取って代わります。この移行をうまく進めるために、ブランドは今でも使われているある種の神話を利用しました。オーツ麦の箱に描かれたクエーカー教徒（第2章参照）は、箱の中の穀物と何の関係もありません。単なる物語です。

産業革命の時代には、蒸気機関が利用されるようになり、製品は生産者からさらに切り離され、また、多くの製品を売る必要が生じます。広告業者は人々が消費するものの大部分が工場で生産されていることを隠すために、強力なブランドを開発しました。工業化された農業は、谷間に立つ緑の巨人（グリーンジャイアント）になり、工場生産のクッキーは、木の中の空洞にいる小人たちの作品になりました。

マスメディアが出現して、このような全く事実ではない新しい神話を広めました。マスメディアはトップダウン型の事業なので、それに対抗する事実に基づいた個人対個人のコミュニケーションは、ほとんど存在しなくなります。人々は、生産ラインや事務所で忙しくはたらくようになって、複数の社会的役割を同時に経験することはなくなりました。職場では、給料を稼ごうとする労働者であり、家庭ではマスメディアの神話的な声を聞きながらくつろぐ消費者になりました。

デジタル技術が、この状況を打ち破りました。

マスメディアとデジタルメディアの基本的な相違は、双方向性であるか、そうでないかです。書籍、ラジオ、テレビは、「読み出し専用」のメディアです。誰かが作ったメディアに対する私たちの反応は、それを見るという選択肢しかありません。だからこそこれは物語に最適なのです。私たちは語り手の世界の中に取り込まれていて、言葉を返すことができません。

一方でデジタルメディアは「読み書き可能」です。再生可能なデジタルファイルは、共有したり交換したりすることも可能です。ファイルは複製禁止やカギ付きにできますが、そのような保護は、最終的にはメディアの偏向に反しています。したがってファイルのアクセス制限はあまりうまく働きません。その結果として、私たちは物語を神聖化するマスメディアから、コミュニケーションを柔軟にして活性化させる双方向型メディアに移行しつつあります。

これと同様に、デジタル通信技術はつながりと共有に基づいています。ラジオやテレビという独占的メディアとはまるで正反対です。

コンピューターを相互に接続してネットワーク化した本来の理由は、計算資源を共有できるようにすることでした。しかしこれによって、個人対個人の活動に向かう偏向が生まれました。マスメディアは、より多数、より広域という、いわば重力の法則だけを重視しています。つまり、報道機関や放送局の人々が、彼らの神話を大衆に向かって上から落としてきます。デジタルメディアでは、上へ、下へ、さらに横に向かっても動くことができます。ある意味では、もはや上とか下とかいう概念がなくなっています。ネットワークの各ノードは、メッセージを受け取るか拒否するか、さらには、変更するかそのまま放置するか、削除するか次へ伝達するかを選択できるのです。

私たちは、あのバザールに戻ってきました。一つだけ異なっているのは、個人が地元の友達や仲間と1対1で会話するのではなく、私たちがみな、ほとんどのテレビ放送ネットワークよりも大きい全世界とやりとりできることです。私たちのブログ記事やツイートが、広く流布した次のミームになって、数時間のうちに数百万人の仲間のユーザーに届く可能性もあります。それを見た人は、元の記事に対してコメントしたり、編集したり、改変したりできます。

また、労働者と消費者というように、勝手に限定された役割にとらわれることもありません。私たちは、消費者、制作者、投資家、批評家、その他いろいろな役割を同時に果たして、従来の主流派のメディアが流布した神話を打破し、互いに真実を明らかにすることができます。人々はバザールの時代のように、複数の基準によってつながっています。

このような環境では、企業は独占体制という自らを支えた神話を維持することは難しくなっていきます。メディアの消費者から文化の伝達者へと復帰する私たちは、相互にメッセージを送って、自説の承認と強化を求めるようになります。神話や物語が解体されて、最終的に誤りは修正されます。

デジタルメディアの交流への偏向は、以前のようにノンフィクションに向かうようになり、私たちはそれに基づいてこの世界を理解し、できることを最大限達成し、最大限に楽しみます。メッセージが有益で、真実で、現実的であれば、それはより広く拡散し、私たちの行動のレベルが向上します。私たちは真実を語ることを習得しなければなりません。

場合によっては、最もネガティブな真実が最も速く広範に拡散します。有名スポーツ選手のセックススキャンダル、セレブ女優のポルノ画像、悲惨な犯罪、都市伝説こそがウイルスのように急速に広まるのです。しかし、最悪の場合であっても、その噂の大部分は裏に隠された真実、または今まで適切に対応されていなかった文化的問題に基づいています。

だからこそ、人々はそれを聞くと拡散せずにはいられないのです。離婚したプリンセスが自動車事故で死亡したとか、大統領候補の父がその国民ではなかったというようなニュースについて、そこに付随して現れる虚偽の情報は、人々がデジタルメディアのさまざまな偏向の影響を受けたことによって生じる抑制できない変異なのです。その情報は、何世紀にもわたる神話による管理に対抗している、新しく生まれたデジタル市民に、真実として提示されると、そのまま受容されてしまいます。彼らはまだ、真実とそうでないものの識別にあまり習熟していません。彼らの信じる事実は、誤っているのかもしれませんが、それでも彼らはノンフィクション方式のコミュニケーションを遵守しています。

同じことが既存のメディアにも言えます。今では、台本のあるショーよりも、出演者が予測不可能な現実に直面する「リアリティー」番組が多くなっています。よく考え抜かれたコメディーを見る代わりに、私たちは、実際に人間が異常な状態に置かれているのを見せられています。オタクがモデルに求愛するとか、女性たちがある大金持ち（実は貧乏な建設作業員）と結婚しようと争うとか、低身長の人が何かをするとか。

テレビおよびその他の既存メディアは、ネットエンタテインメントのノンフィクションへの偏向を真似しようとしましたが、技術の真実への偏向は見習わずに、それ以外のさまざまな偏向に見られる最悪の側面だけを反映してしまいました。その結果生まれているのが、暴力的な見世物であり、非人間的な屈辱であり、集団的な虐待です。

その根本にあるのは、事実にもとづく情報交換に復帰しつつある文化に対して、それに悪ノリして収益化しようとする衝動的な欲望です。つまり、こちらは厳正な科学などではありません。

デジタル世界での人間の価値やつながりが、事実やアイデアの真実性の度合いによって決まるようになるにつれて、私たちはミーム的で豊かな、混沌としたコミュニケーション空間に回帰しています。

ひとたびメッセージが発せられると、その発信源が個人であっても、フォーチュン500企業の社長であっても、メッセージはその人の管理を離れていきます。どのように受け取られるか、どのように変更されるか、複製されて再発信されるか、すべてネットワーク次第です。最善のミームが勝ち残ることを祈りましょう。

広告会社は、自分たちがこの双方向性を完全に掌握していると思っています。彼らは、デジタルコミュニケーション空間とは、新しく権利を与えられた消費者が、その気持ちを企業に伝え、欲しいものを要求し、自分自身の意見がそのブランドに反映されているのを確かめるための「会話」だと考えています。行ったり来たりする呼びかけと応答だというのです。

これは伝えるべき重要な事実を持たないマスメディア専門家の希望的観測です。二つの点で間違っています。

まず、それは双方向の会話ではありません。そして、向こう側の人は、自分のことを消費者だとは思っていません。

デジタルのバザールは、複数の文化的役割を果たしている人々による多対多の会話です。それは、非常に騒然としているので、誘導したり支配したりすることはできません。しかし、ほとんどすべての人および企業のミームに接することができます。

大企業、国家、組織は、一般的に多数の人に影響を与えるものを生み出すので、彼らが発信するミームは、より重要性が高いと受け取られ、多く複製されて広まる傾向があります。ただし、予想どおりにいくわけではありません。

自動車会社が新車のテレビコマーシャルを作成するツールを顧客に提供したとき、最も人気を集めたビデオは、宣伝とは正反対の、燃料を大量に消費するSUV（スポーツ用多目的車）を批判するものになりました。このように痛烈な皮肉はネット全体で回覧されて、さらにはテレビで放送されたりします。これはもうニュースなのです。企業は人々の会話を得ましたが、求めたものとは違いました。その理由は、ネットでは神話が崩壊して、事実が表面に出てきているからです。

多くの人々がこの現象の促進に関与しています。技術系サイトは、メーカーが新製品を公表する前に、その内部動作機構を誰が暴露するかというコンテストを主催していて、シリコンバレーの社長やマーケティング部門がうろたえています。

その一方で、より真摯なこととして、ウィキリークス（WikiLeaks）やメモリーホール（Memory Hole）のようなウェブサイトは、活動家が世間に向けて情報を公開しようとする際の支援を提供しています。

有罪の証拠となる企業の役員会議事録でも、国防総省のアフガン戦争に関する政策文書でも、本当の事実が表面に出てくる方法が今では用意されています。企業や官庁の公式発言を聞きながら、その一方で今の私たちは、彼らが昨年の夏に本当は何をしていたかを知ることができるのです。

行動の利点とは、ある人々には恐ろしいことと言えますが、言葉よりもミーム的であるということです。デジタルのコミュニケーション空間で、人々は話をしています。ある企業が自社に関する会話を促進したいと思えば、その企業は、何か重要なことを実行するだけで良いのです。改良された電話機を発表するだけで、新聞の一面に掲載される企業があります。これは、彼らのコミュニケーション能力によるものではなく、彼らの行動が多くの人にとって強力であり重要であるということです。

広告の言葉で言えば、ブランド神話の放棄であり、属性への回帰です。現実世界の私たちにとっては明らかなことだと思えるかもしれませんが、デジタル時代にモノを売るためには、良い商品を作るのが最も容易な方法である、ということをマーケティング担当者は理解する必要があります。

クッキーを小人たちが焼いているという作り話はもはや重要ではなくて、それよりも、クッキーが健康に良いものかどうか、天然素材を使っているか、材料を適正に入手しているか、奴隷労働に関与していないか、環境にやさしい方法で製造されているか、ということが重視されます。クッキーに関する事実、特に社会的に重要な事実は、オンラインで広まります。きわめて当然ながら、従業員がその事実をソーシャルネットワークの友達と共有して、消費者がその事実を将来の株主と共有して、というように次々と拡散していきます。ブランドイメージにもとづく広告が持続性をもてるのは、もうその企業に関する本当の事実と矛盾することが明らかになった場合だけになりました。そのときには、その広告こそが目に見えるひどい証拠としてブロガーに重要視されるのです。

同様に、デジタルメディア空間では、発見した事実を共有しつつ、無意味なものは無視することを身に付けた人が成功するでしょう。ばかげた迷惑メールをうっかり転送してくる親類がいたりします。他人に電子メールを転送すればある会社が数百万ドル寄付するとか、入院している子どもに輸血が必要だとか、今すぐパソコンの電源を切らなければランサムウェア（脅迫型ウイルス）がデータを全部消去するとかいう話です。私たちと共有しようと思ってくれるのはすてきなことですが、共有できる現実的なものを彼らが何も持っていないというのは恥ずかしいことです。口コミを利用して情報を拡散するバイラルメディアは、ノンフィクションによるつながりというデジタルメディアの偏向に従って、そんな彼らのニーズを満たすために偽の事実を提供しています。

この新しいバザールでのコミュニケーションにおいて成功するのは、聞いたことを迅速に評価して、重要なものだけを他へ転送できる人と言えます。このような人は、情報を増やしてノイズを減らせるため、デジタルメディアで最も高く評価される権威者になります。しかし、本当の勝者は、やはり実際に発見や革新を行う人です。すなわち、他のみんなが注目するだけの価値のあることを実施したり見つけたりする人です。このような人たちは、相互にメッセージをやり取りする重要性をわからせてくれる良き存在になるだけでなく、私たちが他の人のためにより多くの価値を生み出すための現実的な方法を示してくれています。

ノンフィクションへの偏向を備えたメディア空間で成功する方法は、真実を語ることです。すなわち、語るべき真実を持つということです。

第9章　開放

盗用するのではなく共有する

IX. OPENNESS

Share, Don't Steal

盗用するのではなく共有する

デジタルネットワークは、機材や技術や信用を共有して仕事をしていた人たちが、計算機という資源についても共有するために作ったものです。従って、デジタル技術には、誰でも受け入れるという開放性と、情報やモノをみんなで使おうとする共有とを重視する偏向があります。しかし、私たちは、このような偏向のある世界で行動することに慣れていないのです。事実、他人の開放性を不当に利用したり、自分の開放性を他人に悪用されたりしています。共有と盗用の違いを理解すれば、自己満足の世界に陥ることなく開放を促進することができます。

コンピュータープログラムやファイルは、それを非公開にして個人専用にしようとしても、これらはすべてゆっくりと、しかし確実にクラウドの一部になっていきます。ファイルを電子メールでサーバーに送信するときも、また、ウェブサイトのアーカイブを作成するときも、私たちは、他人が所有する計算機の資源を利用することになります。また、誰かが、あるいは何かが、私たちの資源を利用することもあるのです。これはデジタル技術のおそらく最も本質的な特性である、共有という偏向の当然の流れです。

コンピューターの中心にあってさまざまなコプロセッサーに計算を分散させるCPUから、数百台の端末が接続された大学のメインフレームに至るまで、コンピューターおよびネットワークのアーキテクチャーは、資源を共有して負荷を分散させることを基本としてきました。これがデジタル技術の動作原理であるため、コンピューターやネットワークの技術者たちも、同じような方法で仕事をしていても不思議ではありません。

私たちが今利用しているネットワークの設計者たちは、コンピューターによる分散処理が効果的であることをずっと目にしてきたのです。そのため共有と開放という原理を設計に反映しています。彼らの職業上の態度もその原理に基づいているのでしょう。

たとえば、インターネットのノードは、ネットワークが機能するために、誰のトラフィックであっても受け入れなければなりません。各ノードは自分宛のパケットはそのまま保有して、他のノード宛のパケットは転送します。これによって、他のパケットは目的地までの旅を続けられます。サーバーは常に相互に接続を確認し、質問を発し、指令を受け取り、必要な支援を受けます。そうすることによって、インターネットは強力になってきましたが、その公平な姿勢が攻撃に弱いという理由の一つになってもいます。大枠において、あらゆるベースには、見知らぬ人に話しかけて援助するように、との設計があるのです。

ネットワーク開発者は、公平性に自信を持って、同じ方法で仕事を続けていきます。ネットは利益よりも共有を重視して、相手に何かを与えていく「贈与経済」に基づいて作られました。みんながネットワークを利用したいと思っていて、みんなが新しいソフトウェアツールの開発に魅力を感じていたので、あらゆる人がソフトウェアツールの開発のために自分ができることをしたのです。さらに、この仕事には、間接的ではあっても補助金が支給されました。大部分のプログラマーは大学教員や学生なので、金儲けよりも名誉や自らの満足のために仕事をすることができました。

今、私たちがインターネットで使っているほとんどすべてのもの、電子メールやウェブ、ストリーミングメディアやテレビ会議などは、この非営利コミュニティーによって開発されて、フリーウェアあるいはシェアウェアと呼ばれるものとして公開されました。楽しみなのはネットワークを構築すること、自分のイノベーションが受け入れられて、コミュニティーの他の人たちによって拡張されるのを見ること、自分の研究室や大学が名誉を得ることでした。自分の評判が高くなると、職場で昇進したり、講演料を受け取ったりという金銭上の利益もありましたが、それでも本当のモチベーションは、楽しさと誇りでした。

ネットが民営化され商業化されても、開放と共有という偏向は残りました。人や組織がこの偏向を都合よく利用して、他人の仕事の価値を盗んだり抜き取ったりすることが多くなったのは、最近になってからの話です。デジタル技術の資源共有というアーキテクチャーと、ネットが開発されてきた環境である贈与経済は、開放に向かう偏向を生み出しました。デジタル技術は、まるで他人と共有されることを望んでいるかのようです。しかし、文化や経済は、この種の共同作業を経験したことがないので、共有と盗用の違いを認識するのに大いに苦労しています。

おそらくほとんどの面で、開放というネットの精神は、知識を囲い込みがちな社会に対抗することに成功してきました。たとえば、昔の教師の権威とは、生徒が学びたいと思う情報を独占的に掌握していることでした。今では、学生が必要とするものは、ほとんどすべてオンラインで見付けることができます。従って、教師の役割は、ガイドあるいはコーチという役割に変化しなければなりません。すなわち、学習のパートナーとして、学生が見付けたデータの価値を評価したり、総合的にまとめたりするのを支援する役割になるのです。

同様に、医師その他の専門職にも、より知識を持った依頼人が来るようになります。確かに、場合によっては、製薬会社や信用調査機関の紛らわしい広告を見て、ばかげた質問をする人もいます。しかし、その一方では、権威に屈服するのではなく、専門家と一緒に決断する能力のある依頼人がいます。これは多くの場合、より良い選択、より良い結果につながります。

共同作業に向かうネットの偏向は、大人数が参加するすばらしいプロジェクトを生み出しました。たとえば、ファイアーフォックス(Firefox)ブラウザ、リナックス(Linux)オペレーティングシステムなどの技術や、ウィキペディア(Wikipedia)のような集積による資源があります。集団的活動のお手本として、彼らは共同作業で負荷を分散し、得られたツールを再び共有するという人間の能力を実証しています。多くの人にとって、金銭以外の理由でこのような非営利プロジェクトに参加することは、政治的な行動であり、個人的な成功でもあります。

このような経験やツールは、他人が作ったものを共有し転用することを基本にしたオンラインの美意識を生み出しました。早くも1920年代には、ダダイストと呼ばれる芸術家たちが、文章を切り刻んで別の形で組み合わせる表現を始めました。1960年代になると、ウィリアム・バロウズやブリオン・ジシンなどの作家や画家は、その技法を使って新聞その他の文章を物理的にバラバラに切り刻んで、新しい形に再結合するという実験的作品を生みました。彼らは、これが既存メディアからの催眠術を打破し、偽のイメージの向こう側を見通して、私たちの気づかないうちに管理者が送ろうとしている真のメッセージや命令を読み取るものだと考えていました。デジタル技術は、この技法を非主流の芸術運動から、主流の美意識へと変化させたのです。

DJによるレコードの「スクラッチ」や、テキストエディターのカットアンドペースト機能など、今のメディアには、吸収、再利用、リミックス、マッシュアップという特徴があります。マンガが映画になり、それがテレビ番組になり、それがゲームになり、ミュージカルになり、それに基づくマンガができる、というような単純な話ではありません。ゆっくりと変異しながらも、やはり一つの物語やブランドであり、それが、考えられるさまざまな形態へと進んで行きます。今、私たちがいる場所は、すべての作品が他の作品の素材となるメディア空間なのです。

若者たちは、ビデオゲームのレンダリングエンジンを転用して、ゲームのキャラクターが主演する「マシニマ」と呼ばれる映画を作っています。マシンとシネマ、あるいはマシンとアニメーションを組み合わせた造語です。ファンが映画やテレビ番組を再編集して、新しい物語に仕上げて、無料サーバーで配布しています。

このような作品は面白く創造的で刺激的でもあります。しかし、明らかに利用の許容限度を考慮せずに一線を越えている場合があります。本文を長々と引用したり、他人の作品の一部を自分の文脈として取り込んだり、音楽全体を他の作品の伴奏として転用したりしていることです。ほとんどの場合、このような作品に原作者の名前は表示されていません。

最大限に好意的に解釈すれば、この活動は神聖不可侵な境界を打破して、教会からウォルト・ディズニーに至るまで、文化の独占体制に対抗しているとも言えます。

要するに、そこにあるものは、みんなのものということです。しかし、混合されることを拒否するものがあればどうなるでしょうか。ある作品をデジタルフォーマットにするということは、ハイブマインドに引き渡して、好きなように扱える状態にすることでしょうか。ハイブマインドとは、集合精神と言われるもので、複数の個体が一つの意識を共有している状態です。私たちが生み出した作品に対して、これはどのような意味を持つのでしょうか。作品について、あるいは作品が使われる文脈について、私たちに何らかの権限があるのでしょうか。タバコのコマーシャルをマッシュアップして、タバコ会社の二枚舌を暴露した十代の若者を、私たちは賞賛しています。しかし、差別主義者の団体が、あなたの最近のスピーチをマッシュアップして、白人の優越性に関する虚偽の主張を作り出したとすれば、どうしますか。

これは、ある「処理」に伴って現れてきた不都合な問題です。私たちは、思考そのものが個人の行動ではなく、集合的なものになっている時代に生きています。メディアにどっぷりと浸かって、常に他人のアイデアの中を泳いでいます。もはや自分一人で何かを思い付くことはなくて、ひとたびアイデアを共有すると、それを自分だけの秘密にしておくこともまたきわめて困難です。

私が出会った多くの若者は、このちょっと恐ろしい、自分のデータに関するプライバシーと主体性の喪失について、より進化した状態に向かう途中で試行錯誤しているところだと考えています。彼らは、人類がより集合的な意識に向かって進化していると思っていて、ネットの開放性は、全員がテレパシーで他人の考えをわかってしまう未来の生物学的現実の試運転だと言うのです。

人間が意識の共有に向かおうと向かうまいと、「試行錯誤」があっても良いでしょう。要するに、このような状況において一緒に生活したり働いたりすることが、みんなにとって快適で生産的であるような、マナーや倫理を生み出す必要があるということです。

デジタル世界では、わずかな努力で、誰かがしていることを何でも見て、取得して、複製することができます。破ることのできないコピー保護などというものは存在しません。CDやDVDを再生できるならば、音質や画質が低下するとしても、何らかの方法でコピーはできます。しかし、誰かが作ったもののコピーと配布が可能であるということは、その行為を正当化するものではありません。多くの人にとっては、窓から隣家に侵入して何か欲しいものを取ってきたとしても、捕まるリスクはほとんどないでしょう。あるいは、隣家の個人的な書類を見たり、納税申告書や銀行の取引報告書を見たり、もしかしたら、どんな避妊方法を使っているかを確認することもできるでしょう。

私たちを阻止しているものは、法規制ではなく社会契約です。親のしつけを通じて、または単純に、人が他人の家に侵入するような世界には住みたくないということを、何らかのレベルで私たちは理解しています。私たちは、所有権やプライバシーを尊重します。他人にもそうしてほしいと思うからです。制約は、文明的な社会の一員であるための条件の一つです。

しかしこれと同じ社会規範は、ネットには適用されません。共有、借用、盗用、転用がすべて混じり合って、それ自体が相互に影響しあって成り立つ世界だからです。従って、本来ならばすがすがしい気風である開放性が、何にでも普遍的かつ不適切に適用される傾向にあります。

従来の厳しく管理されたメディア空間で長い間生活していた人々が、デジタル的な自由をこのような形で利用してしまうのも無理はありません。音楽業界や映画業界は、きわめて厳格なデジタル著作権管理（DRM）ツールの商品への適用によって音楽・映画ファンを失っています。ある種の音楽ファイルまたは映画ファイルを購入すると、ファイル利用状況監視プログラムをその発行元からインストールさせられてしまうのです。その主な目的は、購入ファイルを他人に譲渡させないようにすることですが、たとえ違法なファイル共有を取り締まるためであっても、スパイウェアを自分のパソコンにインストールしたいと思う人はいないでしょう。これはまるで不法侵入のように感じられます。さらに言えば、私たちがその音楽を買ったのであれば、それを友達や家族と共有することは許されるべきではないのでしょうか。あるいは、自分が所有する複数の音楽プレーヤーにコピーするだけというのは、どうなのでしょうか。

このDRM戦略は、ある種の窃盗罪を構成するともいえます。それが機能するためには、こっそりと仕込まれたプログラムが私たちのパソコン内にあるプロセッサーの能力の一部を利用しなければなりません。そのプログラムが、私たちの同意なしに企業に代わってタスクを実行し、私たちのマシンの実行時間やメモリーを奪っています。これは盗みです。

著作権および作家やアーティストを保護しようとする、大企業のなりふり構わぬ努力は、単純化というネットの偏向と相まって世界をさらに二極分化させています。著作権を無視して音楽や映画を盗んだり共有したりすることは、みんなのアクセスと平等に貢献する、開放のための合法的な運動であると見られるようになっています。共同作業に関する具体的な考え方、たとえばオープンソース開発やクリエイティブ・コモンズ・ライセンスは、誰でも自由に参加できる開放性のための革命と同一視されています。「企業を打倒せよ、そして人々を守れ！」

ネット戦争のこの側面に見られる論理によれば、誰かが作ったものは、すべて無料でコメント可能な状態でオンラインに掲載されなければならない、ということになります。あらゆるものの無料での配布を否定すると、人々がそれを試してみたり、改良したり、バラバラにしたり、元に戻したりすることを妨げてしまいます。作品をハイブマインド（集合精神）に提供しないのであれば、社会が共同作業してその作品を転用するという権利を否定していると見られます。

スマートフォンを購入した人が、搭載されているソフトウェアに手を加える権利が欲しいと思うのと同じように、メディアの消費者は、自分たちが見るコンテンツをリミックスして再リリースする権利が欲しいと思っています。アクセスを有料にすること、あるいは、作品を譲渡したり改変したりしないように要請することは、開放的なネットワークや開放的な社会の基盤を軽視する、利己的な行動として攻撃されます。

この議論が見落としているのは、一方で、ビジネスという点では同じはずの別の企業が、手段が違うだけで文章、音楽、映画からお金を稼いでいる、ということです。たとえ無料で閲覧可能になってしまったコンテンツであっても、それらの企業は、その制作者の生んだ価値を吸い上げています。それがこの本を書いている私であっても、あるいは、ブログ記事を書いているブロガーであっても同じことです。その価値は、その企業のほかには、どこにも全く伝えられていません。すなわち、検索エンジンを提供する企業は、コンテンツが検索されるたびに画面に表示される広告から利益を得るのです。同様に、アマチュアが「無料」ビデオを制作するためには、そのアマチュアは、カメラ、画像処理用のパソコン、編集用ソフトウェアを買い入れ、さらにブロードバンド接続料金を払って、完成した作品を大企業が所有するビデオサーバーに、さまざまな権利と一緒にアップロードする必要があるわけです。

価値は、作品から生み出されていますが、創作サイクルの中のどこか異なる場所から取り出され、創作者本人には渡されなくなっています。創作で生計を立てている人は、無料の仕事で名前が出ることによって、たとえば講演やテレビなど他のことで報酬を得られるだろうと言われます。ところがもちろん、その出演を依頼する人は、本や映画の宣伝に役立つのだから出演は無料で良いだろうと考えているのです。こんな話が次々と続くわけです。これがデジタル社会の新しい開放性だとされていますが、実際には、私たちが相互に開放的になっているのではなく、既存の食物連鎖の頂点に立っている人たちから搾取されているだけなのです。

最も困るのは、これについて何らかの問題提起ができる立場にある人たちが、エリート主義者とか抵抗勢力というレッテルを貼られて、まるで文化の自然な進化を抑圧しようとしているかのように扱われることです。そうではなくて、古き良き時代の見世物が、現代の分散化されたメディア空間において、またしても魔法を使っているのです。その結果として生まれる無知、怒り、反エリート主義は、以前と全く変わりません。

しかし、デジタルメディアの偏向に正面から立ち向かうことによって、デジタルメディア空間での所有権という見かけ上のパラドックスを受け入れることができます。最も単純なレベルで言えば、ここでの問題は、ものごとを保護するために作った法律は、これまでは現実の物を対象にしていたということです。現実の物は供給に限度があり、それが不足すると保護が必要になります。

デジタルコンテンツは、無料でコピーできるため無限に供給できます。もし、靴職人から靴を1足盗んだとすれば、彼が製作に投資した時間と材料も同時に盗まれたことになります。けれども、もし私が音楽アルバムから1曲を違法コピーしたとすれば、この場合、ミュージシャンには何も負担をかけていません。少なくとも、今まで彼の曲を買って聴いたことがなかった、ということ以上には。なので彼は、新しい購入者の獲得という機会を失いましたが、私は、彼が作り出したものを実際に盗んだわけではないのです。単にコピーしただけです。さらに言えば、無料で無限にコピーできるものに対して、なぜ私が乏しいお金を払わなければならないのでしょうか。

もちろん、その答えは、今私が楽しんでいる音楽を作るためにミュージシャンが費やした時間と労力に対して、お金を払うべきだということです。その曲を聴く人が、全員で平等に分担すべき費用でしょう。

ところがこの概念は、私たちには異質なものなのです。毎日、数百万人がウィキペディアを仕事や研究に使っています。これは、何千人もの投稿者や編集者が無償で作業時間を提供していることによって得られる特典です。巨大なトラフィックが流れていますが、それにお金を払おうと思う人はごくわずかです。そのため非営利団体がウィキペディアに資金を提供して、かろうじてサーバーを維持する費用を賄っています。ネットには開放性があり、さらに、そのリソースを無料で簡単に利用できるため、お金を払うなどという少数派に属することは、まるで必ず失敗に終わるゲーム理論にだまされる人の行動のように思われるのです。しかし、このゲームには不正が仕掛けられています。

本当の問題は、デジタルメディア空間が費用を分担する構造へと偏向しているのに対して、通貨システムはそうはなっていないことにあります。私たちは、21世紀のデジタル経済を、印刷機に基づく13世紀の仕組みのままで運用しようとしています。これではうまくいくわけがありません。すでに見てきたように、今でも私たちが使っている中央通貨システムは、崩壊しつつある貴族階級が個人対個人の経済の発展を抑圧するために作り出したものであって、負債を前提としたシステムを採用しているのです。それは印刷機の時代の戦略であり、中央の資金源が貸し出す限られた通貨を使い、人為的な存在である独占企業が、人々にわずかな職や商品を求めて競争をさせる、というものです。

その一方で、今の私たちは、分散化された技術を利用できるようになり、個人対個人方式で価値を交換するだけでなく、中央以外の周辺部から価値を生み出すことができるようになりました。高度に中央集権化された企業を通じて売買する代わりに、他人と直接売買するために必要な技術がすでに存在します。イーベイ(eBay)あるいは、より小規模なエッツィー(Etsy)やクレイグリスト(Craigslist)を使ってつながりを作って取引を行うとともに、それ以外にも、既存の通貨を乗り越える手段もあるのです。

地域通貨は、かつてルネサンスの時代に中央集権化された通貨に道を譲り、違法な存在になりましたが、2008年の金融恐慌の後、再び広く受け入れられています。地域通貨は銀行から借りるのではなく、ユーザーが同じコミュニティーの他の人々のために商品を作ったりサービスを提供したりすることにより、対価として得る特定の通貨です。[*6]

個人対個人の通貨の価値は、希少な貸付金を得ようとする競争ではなく、豊富な生産物によって生み出されます。従って、ネットと同じように、その生産物を取引したり交換したりしようとする偏向があります。

今ではデジタル技術によって、身元の確認、セキュリティを備えた取引、分散型ネットワークが実現しているので、世界規模で地域型通貨の運用ができるようになりました。ネットによる「e通貨」は、すでにゲーム環境での実験に成功していますが、世界中で離れた地域間でも実用できるアプリケーションの開発が進められています。

これは、一般に想像されるほど現実離れした概念ではありません。連邦準備制度理事会（FRB）元議長のアラン・グリーンスパンは、個人的な電子通貨は、情報化時代に発生している財政上の課題に対する有望な解決策だと考えています。[*7]

他人が作ったものを中央銀行やクレジットカード会社を通じて買うのではなく、ピアツーピア（個人対個人）の通貨を購入に使うならば、周辺部にあって個人から個人へと直接に価値を移転することができます。さらに、小企業や個人と比べて低金利で資金を借りられる大企業への偏向ではなく、e通貨は、実際に価値を生み出している人々への偏向を持つ可能性があります。

資金の発生と交換の方法に大規模な変化が起こっているのかどうか、まだわかりません。しかし、アナログ社会からデジタル社会への移行に伴う他分野での変化の幅の広さや重大さを考えると、通貨の運用システムがここで更新されたとしてもおかしくないでしょう。

過去700年の間使われてきた通貨制度と、その背後にある銀行制度は、そのまま維持するのが難しい時期になっているようです。その一方で、アーティスト、作家、その他のデジタル商品を販売する労働者に対して直接お金を渡す方法があるならば、人々は、企業から供給される商品に支払うよりも、個人に対してお金を払う気になるかもしれません。

その時が来るまでは、私たちは自分が何を得るか、よりも、自分が他人からどのように扱われるのか、によって、大きく行動が左右されていきます。

私たちが読んだり見たりするモノは、画面の向こう側にいる人々が労力と時間を費やして作ったものです。私たちが無料でモノを消費することに固執すれば、きっと彼らをモノに付随する広告を資金源としたテレビ放送モデルに追い込んでいくことになります。

けれども私たちは、それがニュースや娯楽の質にどのような影響を及ぼしたのかを知っています。これは、広告ベースのホストサーバーや検索エンジンが追求しているモデルそのものなのです。作品の価値を低く評価してアマチュア化を奨励することで、これらの企業は、自分たちだけが利益を得るメディア空間を確保しています。彼らはネットワークが新しい方法で価値を創造するという可能性を軽視しています。無料のテレビと同じようなものですが、ネットワークでは作者や出演者は収入を受け取れないという点が違っています。収入を受け取れないどころか、作者や出演者は創作のための機器にお金を払い、自分が所有していないサーバーの利用にお金を払っているのです。

どのようにすればこのシステムにあって賢明な判断ができるのかは、まだよくわかりません。私たちはやむを得ずこのモデルを受け入れているのです。

スタンフォード大学の法学者、ローレンス・レッシグ教授が考案した、著作権に代わる権利であるクリエイティブ・コモンズ[*8]は、作品を誰でも自由に使えるということではなく、社会契約を通じて、どのような条件でその作品を再利用してもよいかをコンテンツの制作者が宣言するものです。全面的に許可、条件付きで許可、全面的に不許可、といった形で。これは著者による宣言という形でまとめられ、作品に付与されます。その宣言は最終的に法的に強制できるものなのかもしれませんが、このシステムは裁判所ではなく文化に依存しています。これが機能するためには、コミュニティーがその基準を守ることに合意しなければなりません。

同様に、オープンソースとは、誰が制作したものでも、その制作にどれだけの費用がかかっていたとしても、欲しければいつでも好きなときに手に入れてよいという招待状ではありません。それは、ソフトウェアを共同で開発して、生み出した価値を共有して取り入れるためのプログラマー相互の関係なのです。

コードを暗号化して秘密にすることによって競争上の優位性を維持するのではなく、開発者たちはコードを公開して見せることによって他人がそれを改良できるようにしています。サイロのように閉鎖的な空間で競争しながら仕事をする代わりに、お互いに他人の革新的な成果に基づいて次の成果を生み出します。参加するには、価値のあるものを追加するためのプログラミングの知識と、他人の貢献を尊重しながら共同作業を進めるという、社会規範の知識が必要になります。

デジタル社会は、常に共有に向かう偏向がありますが、デジタル社会を構成するプログラミングと社会規範というこの二つの知識を本当に理解しているのであれば、盗むことは成功に決してつながるものではないとわかります。

後注

6. LETSystemsホームページhttp://www.gmlets.u-net.com/にこのしくみの簡単な説明があります。あるいは、拙著Life Inc: How Corporatism Conquered the World and How We Can Take it Back (New York: Random House, 2009)のcurrency（通貨）の章を参照してください。

7. Alan Greenspan, "Fostering Financial Innovation: The Role of Government" in The Future of Money in the

Information Age (Washington, DC: Cato Institute, 1997)参照。または、議会でのグリーンスパンの証言をご覧ください。

8．従来の著作権とは異なる、出版公開のための選択肢に関する詳細な説明は、CreativeCommons.org参照。

第10章　目的

プログラムされるかプログラムするか

X. PURPOSE

Program or Be Programmed

プログラムされるかプログラムするか

デジタル技術はプログラムされています。そのため、コードを書く能力のある人たちへの偏向があります。デジタル時代にはソフトウェアの作り方を学ばなければなりません。そうしなければ、自分自身がソフトウェアに組み込まれてしまうリスクがあります。私たちが使うものの背後にあるコードについて学ぶのは難しくありません。遅すぎるということもありません。少なくとも、インターフェースの背後にはコードがあるのだということを理解しておくべきです。そうでないと、私たちは、プログラミングする人たち、プログラミングする人を雇って支配している人たち、そこから送り出される技術のなすがままになってしまいます。

米空軍で全地球情報グリッド（Global Information Grid）の構築および防衛を担当している将官が問題を抱えています。それは人員採用です。空軍のすばらしいコンピューターを多数管理する担当者として、ドローンを飛ばすとか、衛星からレーザーを発射するとか、安全なルイジアナ州シュリーブポートの空軍基地からペルシャ湾のテロリストキャンプに向けてミサイルを誘導するとかいうような仕事をしたい若者を集めるのには苦労していません。彼らは、そのような職務には行列を作って志願してきます。そうではなくて、この将官のかかえる問題は、このような武器システムのプログラミングができる若者、あるいは、プログラミングを一から学ぶのに必要な教育と意欲と精神力を備えた若者を見付けることです。

もともとは戦闘シミュレーション技術をベースに開発された商用ビデオゲームで育ってきたこともあり、志願者たちは、うらやましいほどの反射神経と手と目を連携させる能力を持っています。彼らはすばらしいバーチャルパイロットです。問題はコードの保守や不具合の修正、さらには技術の改良や革新ができるプログラマーの人材です。このようなプログラマーが入ってこなければ、将官は本来の任務を始められないのです。最後の手段として、将官は教育関係の学会で講演をして、高校でプログラミングをカリキュラムに取り入れるように嘆願しています。

かつて人間を月に送り込んだ国、アメリカは、今ではコンピューター教育において多くの先進国や開発途上国に後れをとっています。大部分の公立学校では、プログラミングを教えていません。プログラミングを教えるかわりに、多くの学校では、コンピューターリテラシーのカリキュラムとして特定のソフトウェアを「プログラム」として教えています。子どもたちはハイテク職場で効率的に仕事ができるように、有名な表計算ソフト、文書作成ソフト、ウェブブラウザーの使い方を学びます。このような基本的スキルがあれば、今日の初心者レベルの事務作業には雇用可能かもしれませんが、次の技術に適応する人材としては役に立たないでしょう。

より大きな問題は、コンピューターに関する全体的な方向性がユーザーの視点から見たものであることです。子どもたちが特定のソフトウェアを教科として教えられると、それを他の学習項目と同じように考えてしまいます。そのプログラムが求める操作に習熟すれば、よく学習できたということです。デジタル技術は、完全無欠で変更できない不動の存在になるのに対して、生徒は部品のように取り換え可能な存在となり、テストで良い成績を取るためにプログラムが求めることに従うようになります。

ところが、他の国々、たとえば中国やイランの子どもたちは、市販の商用ソフトウェアパッケージの使い方を学ぶような無駄な時間を過ごしていません。彼らは、コンピューターがどのように動作するかを解明しています。コンピューター言語を学び、ソフトウェアを書き、さらに一部の子どもたちは、西側諸国のサイバーセキュリティーを破るために必要な暗号技術その他のスキルの教育を受けています。前述の空軍将官によれば、次の世代には彼らは米国を追い越すでしょう。

軍事的優位性がすべての人の最終目標ではありませんが、世界の国々と比較した場合の、文化および経済における全般的な競争力の指標にはなりうるでしょう。世界のコンピューターをプログラムする能力を失えば、私たちは、世界のコンピュータービジネスも失ってしまいます。ハイテク巨大企業は、ニューハンプシャーであろうがニューデリーであろうが、どこにでも容易にプログラミングを発注できるので、それほど問題ではないかもしれません。しかし、私たち個人個人にとっては大きな問題です。

私たちは、コーディングが何かつまらない単純作業、レンガ積みのような労働者階級のスキルだと思っていて、子どもたちがビデオゲームで遊んだり、あるいはゲームのデザインをしたりする間に、どこか貧しい国に外注すればよいと考えています。ゲームのシナリオやキャラクターを生み出すのが面白い仕事であり、プログラミングは、よその国の人にさせるべき機械的作業だと思っています。プログラミング、すなわちコードそのものが、最も重要なイノベーションの生まれる部分だという事実を見失っているわけです。

こんな意見があるかもしれません。軍事的にも経済的にも他の国に後れを取らないようにするためには、コーディングという高度に専門化された分野に興味のある学生を数人確保するだけで良いのではないか、と。プログラムする方法を知らなければならないからと言って、私たち全員がプログラミングを知る必要はないのではありませんか？　私たちは、みんな車を運転する方法を知っていますが、自動車の動作原理を知っている人は少ないですよね、と。

確かにそのとおりですが、ではその結果はどうなっているでしょうか。昔は自由時間だったはずの1～2時間を使って、私たちは自動車という重さ2トンほどの危険な機械を操作しています。そして、平均すれば1週間につき1日分の賃金をその機械の所有と維持のために費やしています。[*9]

20世紀の間ずっと、私たちはおめでたいことに自動車交通の本当の偏向を知りませんでした。技術者としてではなく、また都市計画者としてでもなく、広告を通じて消費者として自動車に接していたのです。そのため私たちは、モータリゼーションの本当の代償が何であるかを知らずに、個人の自動車のために公共の路面電車を喜んで放棄しました。国防長官になった元ゼネラルモーターズ社長に高速道路政策を任せた結果、公共の道路が個人の自動車に適したものになり、公共の資金が高速道路システムにつぎ込まれました。私たちは、自動車への偏向が家庭と職場を分離するものであることに気づかずに、都市での生活を放棄して郊外から通勤するようになりました。

その結果として、国の状況が自動車依存に作り変えられていくことを予見できませんでした。また、自動車が地球に大気汚染をもたらして人間生活を追いつめていく可能性、あるいは、自動車を走らせるための石油の確保を主目的とした戦争が起こる可能性を見逃していました。

したがって、ある技術を採用する前に、および採用する過程においても、技術の偏向を検討することはとても重要です。デジタル技術の場合には、通常よりもいっそう重要になります。

自動車は、ある場所から別の場所へ移動する方法について、さらには、その利用を促進するための物理的環境の整備について、多大な影響を与えました。デジタル技術は、私たちの身体だけでなく、私たちという存在を移動させます。私たちはパソコンの画面を通して、自分が生活している世界を経験し、整理し、解釈しています。また自分が何者であるか、何を信じているかを他人に向けて表現するインターフェースでもあります。それは、急速に私たちの知覚および認識のための器官の末端になってきています。すなわち、パソコン画面が自分の神経系と他人の神経系との境界であり、私たちの世界に関する認識であり、さらには世界そのものになっています。

それがどのように動作するかを知らなければ、私たちは、そこにあるものが実は何であるかを知る方法がありません。私たちの送受信するメッセージにメディアがどのような偏向を与えているのかわからないのでは、本当のコミュニケーションを取ることができません。私たちの感覚や思考は、自分自身の誤解、先入観、混乱によってすでに曇っています。

デジタルツールは、その上にさらにもう1段の偏向を加えてきます。その意図的あるいは偶発的な偏向がどのようなものであるかを知らなければ、一貫性のあるデジタル時代の参加者になれません。プログラミングは、デジタル社会で最も重要な部分であり、最も影響の大きい部分です。もしプログラミングを習得していなければ、私たち自身がプログラムされてしまうリスクがあります。

皮肉なことは、コンピューターを学ぶのは驚くほど容易であることです。プログラミングはきわめて強力なツールですが、それを学習するのは大きな問題ではありません。

コンピューターが難しいと思われていた1970年代にさかのぼれば、コンピューターの操作とプログラミングには違いがありませんでした。ちょっと優れた公立学校では、6年生か中学1年生からコンピューターの授業があり、通常は数学の選択科目でした。その時代に育った人々は、幸運にも希少なチャンスをものにしたと言えます。コンピューターは「何でもマシン」だと学んだことです。コンピューターは何も書かれていない黒板であり、そこには自分のソフトウェアを書きます。私たちが書いたアプリケーションは未熟で、たいていは無意味なものでした。コンピューターに素数のリストを作らせるとか、文字を使って絵を描くとか、あるいは、私が最終課題でやった、エレベーター運用の最適化を決定するというようなものでした。

卒業してからプロのプログラマーになったのは1人か2人だけですが、それは問題ではありません。私たち全員は、プログラムとは何か、プログラマーがどのように決断するか、その決断がソフトウェアの機能とその利用者の操作にどのように影響するかを理解できるようになりました。

私たちにとっては、コンピューターの不思議がプログラミングの科学に変わっていくと、他の多くの不思議も同時に消えていきました。コードを理解している人にとっては、世界全体は計画者や設計者による一連の決断で構成されていて、それによって他の人々が生きていく方法が決められていることがわかります。

コンピューターだけでなく、すべてのもの、たとえば町の街路の整備方法、あるいは、いずれか3名の候補者に投票というような選挙の規則が、ある結果を促進するために作られたルールだということが見えてきます。その偏向がわかれば、何でもできるようになります。世界を、また、世界にある任意のシステムの大部分を操作できます。

初期のコンピューターは、ハッカーによって作られました。彼らの偏向がその技術に組み込まれています。当然の結果として、コンピューターはメディアや技術に対するハッカーたちの対応の仕方を強力に推し進めました。そのせいで人々は、メディアを購入することよりも、それを作ったり壊したりすることに興味を持ちました。また、人々の関心がスポンサー付きの番組から離れて、相互のコミュニケーションや情報の共有に移りました。困った問題は、このようなコミュニケーションや共有は、ビジネスにとって不都合だということです。

そこで、ソフトウェアやハードウェア開発に投資している人々は、インターフェースをより複雑にすることによって、このハッカーの偏向を妨げようと考えたのです。そのアイデアは、ユーザーが直接触れる透明性の高いコンピューティングメディアを、テレビのようにユーザーが触れない、与えられるモノを見るだけのものにすることでした。

インターフェースはより手厚くなり、「ユーザーフレンドリー」になりましたが、実際の機械の動作は、背後の深いところに隠れてしまいました。コンピューターにさせたいことを示す単語をタイプするコマンドラインインターフェースは、マウスでクリックしたりドラッグしたりするものに置き換えられました。Windowsでプログラムをインストールするときに使うものが、「ウィザード（魔法使い）」であることは、偶然の一致ではありません。専用のフォルダーを作ってそこにプログラムを入れ、必要に応じてデータファイルを適切な場所に保存するという単純な作業を神秘的に見せるために、ウィザードが必要だったのです。

もしも私たちがウィザードの実行内容をすべて知っていれば、ハードディスク消去ツールを買わなくても、自分ですべてのプログラムをアンインストールできるようになっていたかもしれません。しかし、私たちは、カーテンの裏側をのぞくなと言われました。

おそらくは安全が重視されたのでしょう。機械が開放的であれば、世の中の悪い人にも開放されているということです。そんなコンピューターのセールスマンの宣伝文句を技術的な真理だと思って、私たちはその誤った前提を信じてしまいました。閉鎖的でロックされた機器を買うほうが良くて、それを買った企業を信用していれば面倒を見てくれます。昔、テレビ受像機の裏側に書いてあった注意書きのようなものです。

「感電危険。内部にはユーザーが修理できる部品はありません。」

コンピューティングやプログラミングは、専門家に任せることになりました。消費者はデスクトップを好きなように飾ることができ、どのプログラムを買うかを選ぶことができます。けれども認定外の業者を信用したり、さらには、勝手に何かを自分でしたりするのは、許されないことになりました。つまり消費者は、中央に存在するアプリケーションプログラム経由でしか操作をしてはならないのです。そこで正しいとされる論理が本当に正しいのならば、閉鎖的な技術およびシステムは、より安全でより信頼できるものだということになります。

もちろん、これらはすべて真実ではありません。そのことが本当にわかるのは、プログラミングを理解している場合だけです。完全にオープンでカスタマイズ可能なオペレーティングシステム、たとえばリナックス（Linux）は、Microsoft Windows のようにクローズなものよりも安全性が高いのです。実際に、商用オペレーティングシステムは、販売業者や消費者調査のために残してあるバックドアのせいで、オープンソースのオペレーティングシステムよりも外部からの攻撃に弱くなっています。この他にも、商用製品については企業がソースコードを秘密にしていることが脅威となります。私たちは、自分たちがどんな脆弱な状態の中にいるのかを知ることができません。信頼するしかないのです。米国国防総省でさえも、Windows を推奨する強力なロビー活動を受けた議会によって、Linux プラットフォームで独自のセキュリティープロトコルを開発することを阻止されました。[*10]

国防総省と同じように、私たちは、技術とは自分で変更したり書いたりするものではなく、購入して箱から取り出すとすぐに使えるアプリケーションだと思うようになっています。コンピューターに何をさせるかではなく、コンピューターがすでにできることを私たちは学んでいるだけです。

これは、子どもたちが自然にビデオゲームに取り組む方法とも違っています。確かに、子どもたちは、何十時間か百時間くらいは想定されたとおりにプレーします。行き詰ったときは、その子はどうするでしょうか。そのゲームの「チートコード」と言われる、隠しコマンドなどを使った通常とは異なるプレー方法をオンラインで探すのです。そして無限個の武器と超強力な防具を装備して、ゲームを最後までプレーすることができます。ではその子はゲームをプレーしているのでしょうか。それはそうですが、元のルールの制約の外でプレーしています。プレーヤーから「チーター」になっているのです。

さらに、その子が本当にそのゲームを気に入っていれば、もう一度オンラインに戻って、修正・変形させるためのモディフィケーションキットを探します。それは、ゲームの外観や雰囲気を変える方法を熟練のユーザーに提供するシンプルなツールです。つまり、モンスターと戦いながらダンジョンを走り回る代わりに、高校で教師と戦いながら走り回るバージョンを作ることもできます。

親や教育者にとってはガッカリですが。その子は自分のバージョンのゲームをインターネットにアップロードして、そのゲームを何十人あるいは何百人もの他の子どもたちがダウンロードしてプレーし、ゲーマーの掲示板にコメントを書き込むのを誇らしく眺めています。このようにユーザーの変更の試みに対してオープンであればあるほど、ソフトウェアはデジタルメディアの持つ社会的な偏向により強く一致するようになります。

最終的に、その子が作ったバージョンのゲームが好評で面白いものであれば、新しいプログラマーを探しているゲーム会社から声がかかるかもしれません。そうすれば、他のプログラマーのゲームエンジンで使うための単なる部品を作るのではなく、自分自身のゲームを作れるようになります。

プレーヤーからチーターへ、さらに改造する人、モッダーへ、そしてプログラマーへと進む、この能力開発の段階は、メディアが時代とともに発展する関係とそっくりです。

文字以前の文明では、人々は、規則という感覚を持たずに生活しながら神の怒りを鎮めていました。彼らが理解できない神々を鎮めるために、いけにえの動物を、場合によっては子どもをささげる、といった彼らにできることをしていました。

文字の発明によって、するべきこと、あるいは、してはいけないことを定めた規則がもたらされました。今度は全員がある程度はチーターになります。少なくとも、法に従うか、法の抜け穴をくぐり抜けるかという選択肢があるわけですから。

印刷機ができると書くことが始まります。聖書は石に刻みこまれるものではなくなり、変化するもの、あるいは少なくとも再解釈できるものになります。マルティン・ルターは、95編の論文を書いて、カトリック教義の最初の大きな「モッド（訳注：改造）」を行いました。さらにその後には、国家が革命を起こして、歴史を書き換えました。

最後に、デジタル技術の発明は、プログラムする能力をもたらしました。すなわち、自立した情報システム、バーチャルな生命を生み出す能力です。この技術は、私たちがそれを作った後、長期にわたって存続し、人間がいなくても将来の決断を行うことができます。

デジタル時代にはロボット工学、遺伝子工学、ナノテクノロジー、コンピュータープログラムなどが生まれています。これらの対象には、自己統制、自己改良、自己永続化する能力があります。自分自身を変更したり、自分自身の新しいバージョンを作成したり、また他と共同作業することも可能です。これらは、作って使うだけのものではなく、成長するのです。自らの生存への偏向を備えた、部分部分が関連して相互に影響しながら発展する形態です。デジタル時代のプログラミングの特徴とは、多くの技術が未来を築くための、あるいは少なくとも未来へ進み始めるための規範や規則を定めることにあるのです。

問題は、序章で説明したように、人間がそれぞれのメディアの時代における本当の能力を掌握していないことです。私たちは、いつの時代ももたらされた技術から1段階遅れた位置にとどまっています。文字ができるより前は、ファラオだけが神の言葉を聞くことができました。文字ができてからは、人々は町の広場に集まって、ラビが朗読する神の言葉を聞きました。しかし、巻物を読むことができるのはラビだけでした。人々はエリートよりも1段階遅れたままでした。

印刷機ができると、大多数の人々が文字を読むことを習得しました。けれど、印刷機にアクセスすることができるエリートだけが書く能力を持っていました。人々は著者になるのではなく、ゲームで言えば「チーター」に相当する立場になって、聖書を自分で読むことができ、どの法に従うかを選択できるようになりました。

次に、プログラムするためのツールができました。しかし、私たちは一つ前の段階であるメディアの革命で得られた、書くという能力を掌握することで満足しています。ウェブページを作ったり、ソーシャルネットワークサイトにプロフィールを掲載したりするだけで、サイバー時代の立派な参加者であるかのように思って誇りに感じています。

私たちは自分が参加しているプログラムの偏向に気づいていません。また、新たに手にした書く能力も、あらかじめ決められた巧妙な限度の中に制限されていることに気づいていません。それでも、少なくとも能動的に参加する能力があるという意味では、1段階の前進でした。しかし、テレビの歌番組のプロデューサーにメッセージを送って、出演者10人のうち誰が最も上手に歌っていると思うかを知らせる程度のことです。私たちに許されている交流の方法とは、この程度のあらかじめプログラムされた行為が限度とされているのです。

よくわからない、管理する余地のないデジタル技術を取り入れることによって、私たちは力を得るのではなく、力を低下させています。私たちは、プログラマーだけが知っている「ブラックボックス」技術を使った投票システムのなすがままになっているため、彼らの中立性を信用して受け入れるしかありません。

検索エンジンやスマートフォンに依存していますが、それを開発した会社が自社の利益よりも私たちの利益を優先してくれるようにと祈ることしかできません。ネットワークを使って友達を得ることができるようになりましたが、それは、友達を探すのを手伝ってくれるというよりも、企業が効果的な広告モデルを見付けるためのものかもしれません。

ここでもまた私たちは、能力を掌握した少数のエリートに新しい技術の時代の産物を譲り渡してしまいました。しかし、ルネサンス時代の国王が力づくで印刷機を独占していたのと違い、今のエリートは、私たちの無関心を利用しているにすぎません。私たちは溢れる受信箱を片付けるのに忙しすぎて、なぜこのような状況になってしまったのか、もっと落ち着いて情報を得たり連絡を取ったりする方法はないのか、を考えられないのです。そしてプログラミングこそが自分自身の言葉で世界を再定義できる言語だとは思わずに、数学が得意な雑用係がする単純作業だと考えて、プログラミングという概念全体に対して腰が引けています。

私たちの時代は、自動車やテレビのように、後で不要だと思った場合には、使わないという選択ができる機器を作っているのではないのです。遺伝子を改変したり、知能を持つ機械を作ったり、ナノテクノロジーを設計したりしているのです。これは、私たちが使うのをやめた後も存続します。

デジタル時代の偏向は、それをプログラムした人々の偏向というだけではなく、彼らが生み出したプログラム、機械、生命形態の偏向でもあります。短期的には、私たちの見ている社会は機械に対する依存度が高くなる一方で、機械を効率的に作ったり使ったりする能力が低下しています。

たとえば中国のようにプログラミングがより重視されている社会は、確実に私たちを追い越すでしょう。もちろん、他の形態での文化的抑圧によって、彼らの科学技術の進歩が停滞することがなければ、の話ですが。どうなるか見ていましょう。ただし、何らかの圧力や政治情勢によってプログラムしなければ滅亡するという状況になるまでは、私たちは、提供されるスマートフォンアプリやソーシャルネットワークで満足している可能性のほうが高いのです。そして、今後発生する課題に影響を与える行動よりも、課題から注意をそらす、あるいは課題を回避するための行動をとろうとするでしょう。

過去の蓄積を踏まえず、これからの予測一辺倒の未来展望は、厳密な科学ではありません。技術に関する話では特にそうです。多くの場合、技術の偏向はその技術が定着し増殖するまでわからないものです。ある目的で作られた技術が、最終的には全く異なる用途や効果を示すこともあります。

携帯電話の「不在着信」機能をいろいろと細工しているうちに、テキストメッセージがもたらされました。パソコンは、以前は電話線を使って接続していましたが、今では便利なインターネット端末になりました。技術は私たちがいろいろと細工していじっていると、私たち自身のニーズや偏向に従うようになります。

私たちはデジタルツールと協力関係にあって、ツールが生き残って普及するために、私たちの意図に沿う方法をツールに教えていきます。それは私たちがデジタルツールに従属しているからではなく、プログラムの本当のユーザーとしての人間の役割を受け入れているからです。

この役割を受け入れたとすれば、長期的には、人間が人間の進化に対して意識的かつ協力的にかかわっていることになります。これは、今までの文明史ではなかった初めての経験です。デジタルツールとのかかわりというプロジェクトには、もっと多くの人が積極的に参加するべきではないでしょうか。

デジタル技術は、歴史的に見て異質なものです。それは単なる物体ではなく、目的が組み込まれたシステムだからです。それは意図を持って行動します。もしその動作原理を知らなければ、それが何をしたいのかを知ることができません。技術がプログラムされている方法、技術が自分自身をプログラムする方法に深くかかわり、その知識を持っていなければ、私たちの選択肢は狭められ、プログラムが示す道以外の方法を思い付くことができず、私たちの生活や経験は、技術の偏向に押し付けられたものになります。

その一方で、多くの人がデジタル技術の設計に関与すれば、ツールはより人間的な影響を受けて振る舞うようになります。私たちは人間の集合体としての歴史において最も深く、かつ意図的に経済、環境、社会を作り変える可能性を持つ技術とそのネットワークを開発することになるのです。

生物学者の最近の説明によれば、種としての人間の進化はランダムな可能性の結果ではなく、物質と生命がより大きな組織や意識を求めて前進する勢いに導かれています。現在は、私たちがその発展に関与することを放棄する時期ではありません。反対に関与を強化して、私たちの目的意識を提示するべき時期です。今こそ、私たちが待ち望んでいたときなのです。

また、プログラミングを習得しようとする人にとっては、他の世界の見え方が変わってきます。

プログラミングは、きちんとした解説書と数週間の努力があれば高校生でも習得できることです。全員が習熟するところまでいかないとしても、少なくともプログラミングを通して、今後の生活や仕事で利用する技術の本質的な偏向について学び、それに対処することが必要なのです。

この本では、ネット社会を生きるにあたって最も重要な10ヵ条の偏向について説明してきました。10ヵ条の課題を負債としてしまうのではなく、チャンスに変える方法についても説明してきました。きっとこれ以外にも見つかることでしょう。あなた自身がそれについて調べて、あなた自身の戦略を考えて、それを他の人々と共有することをお勧めします。

ネット社会に生きることが私たちに何かを教えてくれるとすれば、それは私たち全員がそこに参加しているという事実です。おそらくその度合いは今まで以上にますます強くなっていくことでしょう。

後注

9. 毎年のこれらの数字は、米国労働統計局（https://www.bls.gov/）が発表しています。

10. Richard Clarke, Cyberwar: The Next Threat to National Security（New York: HarperCollins, 2010）参照

〔参考資料〕

必読書

Innis, Harold. *The Bias of Communication*. Toronto: University of Toronto Press, 2008 (first published in 1951).
ハロルド・イニス著、久保秀幹訳『メディアの文明史――コミュニケーションの傾向性とその循環』新曜社　１９８７年

Keen, Andrew. *Digital Vertigo: How Today's Online Social Revolution Is Dividing, Diminishing, and Disorienting Us*. St. Martin's Press. MacMillan. 2012.

Kelly, Kevin. *What Technology Wants*. New York: Viking, 2010.
ケヴィン・ケリー著、服部桂訳『テクニウム＝TECHNIUM――テクノロジーはどこへ向かうのか？』みすず書房　２０１４年

Lanier, Jaron. *You Are Not a Gadget*. New York: Knopf, 2009.
ジャロン・ラニアー著、井口耕二訳『人間はガジェットではない――ＩＴ革命の変質とヒトの尊厳に関する提言』早川書房　２０１０年

Lessig, Lawrence. *Free Culture: The Nature and Future of Creativity*. New York: Penguin, 2005.
ローレンス・レッシグ著、山形浩生／守岡桜訳『FREE CULTURE――いかに巨大メディアが法をつかって創造性や文化をコントロールするか』翔泳社　２００４年

McLuhan, Marshall. *Understanding Media*. New York: McGrawHill, 1964.

マーシャル・マクルーハン著、栗原裕／河本仲聖訳『メディア論——人間の拡張の諸相』みすず書房　１９８７年

Packer, Randall and Ken Jordan. *Multimedia: From Wagner to Virtual Reality*. New York: Norton, 2001. See the essays by Vannevar Bush, Norbert Weiner, James Licklider, Douglas Englebart, Ted Nelson, Alan Kay, and other Internet pioneers and visionaries.

Postman, Neil. *Technopoly: The Surrender of Culture to Technology*. New York: Vintage Books, 1993.
ニール・ポストマン著、GS研究会訳『技術 vs 人間——ハイテク社会の危険』新樹社　１９９４年

Rheingold, Howard. *The Virtual Community: Homesteading on the Electronic Frontier*. Boston: MIT Press, 1993.
ハワード・ラインゴールド著、会津泉訳『バーチャル・コミュニティ——コンピューター・ネットワークが創る新しい社会』三田出版会　１９９５年

Rushkoff , Douglas. *Cyberia: Life in the Trenches of Hyperspace*. San Francisco: HarperSanFrancisco, 1994.
ダグラス・ラシュコフ著、大森望訳『サイベリア——デジタル・アンダーグラウンドの現在形』アスキー　１９９５年

Rushkoff, Douglas. *Team Human*. New York: W.W. Norton&Co. 2019.
ダグラス・ラシュコフ著『チーム・ヒューマン』ボイジャー　２０２１年

Shiffman, Daniel. *Learning Processing: A Beginner's Guide to Programming Images, Animation, and Interaction*. San Francisco: Morgan Kaufmann, 2008.
ダニエル・シフマン著、尼岡利崇訳『初めての PROCESSING』オライリー・ジャパン　２０１８年

Shirky, Clay. *Here Comes Everybody*. New York: Penguin, 2009.

クレイ・シャーキー著、岩下慶一訳『みんな集まれ！――ネットワークが世界を動かす』筑摩書房　２０１０年

Stephenson, Neal. *In the Beginning Was the Command Line*. New York: HarperCollins, 1999.

Turkle, Sherry. *Alone Together: Why We Expect More from Technology and Less from Each Other*. New York: Basic Books, 2011.

シェリー・タークル著、渡会圭子訳『つながっているのに孤独――人生を豊かにするはずのインターネットの正体』ダイヤモンド社　２０１８年

Vaidhyanathan, Siva. *Antisocial Media: How Facebook Disconnects Us and Undermines Democracy*. Oxford University Press. 2018.

Wark, McKenzie. *A Hacker Manifesto*. Cambridge: Harvard University Press, 2004.

Weiner, Norbert. *The Human Use of Human Beings: Cybernetics and Society*. Cambridge: Da Capo Press, 1988 (first published in 1950).

ノーバート・ウィーナー著、鎮目恭夫／池原止戈夫訳『人間機械論――人間の人間的な利用』第2版　みすず書房　２０１４年

Wu, Tim. *The Attention Merchants: The Epic Scramble to Get Inside Our Heads*. New York Random House. 2016.

Zittrain, Jonathan. *The Future of the Internet—And How to Stop It*. New Haven: Yale University Press, 2009.

ジョナサン・ジットレイン著、井口耕二訳『インターネットが死ぬ日――そして、それを避けるには』早川書房　２００９年

Zuboff, Shoshana. *The Age of Surveillance Capitalism: The Fight for a Human Future at the New Frontier of Power*. Public Affairs. 2019.

ドキュメンタリー

PBS: Frontline: Generation Like, by Douglas Rushkoff. Available streaming online at https://www.pbs.org/wgbh/frontline/fil/generation-like/

PBS: Frontline: Digital Nation, by Rachel Dretzen and Douglas Rushkoff. Available streaming online at https://www.pbs.org/wgbh/frontline/film/digitalnation/

BBC: The Virtual Revolution. http://www.bbc.co.uk/virtualrevolution/

DoNotTrack - an interactive documentary https://donottrack-doc.com/en/

プログラミング学習

Hour of Code: https://code.org/learn

CodeAcademy: https://www.codecademy.com/

Scratch —MIT's site for kids, but easy enough for adults. http://scratch.mit.edu/

Learn Python the Hard Way —A very accessible approach to a very useful computer language. http://learnpythonthehardway.com/

Learning Processing —tutorials by Daniel Shiffman. http://www.learningprocessing.com

Microsoft Tutorials on Visual Basic—Microsoft 's tutorials on how to learn Visual Basic are actually quite good for the beginner:

Get started with Virtual Studio: https://visualstudio.microsoft.com/vs/getting-started/

Get started with Virtual Basic: https://docs.microsoft.com/en-us/visualstudio/get-started/visual-basic/tutorial-console?view=vs-2019

Treehouse: Video tutorials that explain programming languages and usage. Learn skills in order to help advance your career or interest: https://teamtreehouse.com/

LOGOS —For educators interested in a very easy programming language to teach elementary school children, visit http://www.terrapinlogo.com for a system to purchase or http://www.softronix.com/logo.html for free resources.

解説

若林　恵

　技術はニュートラルだ。それをよく使うのも悪く使うのも結局は人間次第。というようなことはよく言われる。バカとハサミは使いよう。しかし、そうした技術論にはひとつ大きな落とし穴がある。

　技術はときに人の意図と逆の作用を引き起こす。そのとき原因を「人の意図」に求めるのはどこまで妥当だろうか。ある結果の背後に悪をなしてやろうと舌なめずりする「悪人」を探してもおそらく徒労に終わる。むしろ善いことをしているつもりだったということのほうがはるかに多いのではないか。善き意図は善き結果を保証してくれるわけではない。

　いったいなぜ、そんなことが起きるのか。自分では善く使っているつもりなのに事態が悪くなってしまうのは、どうしてなのか。技術がもっている「偏向」もしくは「意図」を正しく理解できていないからだとダグラス・ラシュコフは考える。『ネット社会を生きる10ヵ条』の冒頭で彼はこう書く。

「あらゆるメディア、あらゆる技術には偏向があります。『銃が人を殺すのではなく、人が人を殺す』という文言は正しいのかもしれません。しかし、銃は、たとえば時計付きラジオよりも殺すことに偏向した技術です。テレビは、人間がソファーに座ってそれを見るということに偏向しています。自動車は、移動、個別性、郊外生活に偏向しています」

　こうした偏向は自分の身の回りのいたるところに埋め込まれているが、人はなかなかそれに気づくことができない。であるがゆえに、良かれと期待したことが逆の結果を招いたことにいちいち驚かされてしまう。デジタルテクノロジーにかけた期待が反転した格好で世界を悪化させていることに対して、わたしたちはいまごろ「あれ？　なんでこんなことになってるんだ？」と気付き、驚きとともに首を傾げる。そして「自分が悪いのか？」と疑ってみたり、邪悪な意図をもってこの事態を仕組んだ、いもしない悪人を探し出そうとしたりする。

ダグラス・ラシュコフは長年、少なくともアメリカのテックシーンにおいては、そうした驚きとは無縁の存在だった。10年前に書かれた『ネット社会を生きる10ヵ条』を読んでみるとよくわかる。ポピュリストの合衆国大統領が生まれる前から、右／左の差異が抜き差しならない分断になる前から、ラシュコフは、スマホとソーシャルメディアによって人が7秒以上集中することができなくなる前から、それをとっくに見越していた。本書がまるで昨日書かれたものであるかのように読めてしまうことに驚くかもしれないが、それは彼が水晶玉の持ち主であるからではもちろんない。

本書でラシュコフは、デジタルテクノロジーの「偏向」をきめ細かく読み解いていく。そしてそれが理解できたなら、その先に待っている帰結は必然的なものでしかない。ラシュコフは、つまり、予言者ではない。「メディアはメッセージである」というテーゼをむしろ愚直に実践し、それを通じて「いま起きていること」を理解しようとしているだけとも言える。メディアテクノロジーがもつ「偏向」を正しく見極めることができなければ、問題に対処するはおろか問題がどこにあるかすら指摘することもできない。

「人間が世界とかかわりを持つためのメディアの偏向を理解することによってのみ、人間の意図と、使用する機械の人間に対する意図との違いを知ることができるのです」

パンデミックを通じてデジタルテクノロジーがわたしたちの生命の安全に関わるインフラとしてより深く、より大掛かりに人類の暮らしに関与しようとしているいま、その技術がもつ10の「偏向」を取り出して解説し対処法を授ける本書は、それがはじめて書かれたときよりもはるかに緊急性が高まっている。

著者　ダグラス・ラシュコフ —— 1961年生まれ。米国ニューヨーク州在住。第1回「公共的な知的活動における貢献に対するニール・ポストマン賞」を受賞。『Cyberia』／『サイベリア』、『MEDIA VIRUS!』／『ブレイク・ウイルスが来た!!』、『Throwing Rocks at the Google Bus』（グーグルバスに石を投げろ）、『TEAM HUMAN』／『チームヒューマン』、『SURVIVAL OF THE RICHEST』／『デジタル生存競争～誰が生き残るのか』など多数執筆。『「デジタル分散主義」の時代へ』という論考が翻訳されている。

photo credit Mercy McNab

訳者　堺屋七左衛門 —— 大阪市生まれ、神戸市在住。大阪大学大学院工学研究科電子工学専攻博士前期課程修了。日本翻訳者協会（JAT）会員、HON.jp（日本独立作家同盟）正会員。訳書『リスクコミュニケーション 標準マニュアル』（福村出版）、『チームヒューマン』『デジタル生存競争～誰が生き残るのか』（ボイジャー）、『ケヴィン・ケリー著作選集 1』（ポット出版、達人出版会）、『マニフェスト 本の未来』共訳（ボイジャー）など。

Photograph by Kaori Nishida

挿絵　リーランド・パービス —— イラストレーター、コミック作家。全10章の扉イラストを担当。米・オレゴン州在住。代表作は『Vóx』、『Pubo』。若年層向けのグラフィックノベル、歴史小説のイラストを多く手がけ、現在は鉛筆画および水彩画を主に活動。

解説　若林恵 —— 2012年から2017年まで『WIRED』日本版編集長を務めた後、黒鳥社を設立。早期からダグラス・ラシュコフの活動に注目し追っている。

ネット社会を生きる10ヵ条

発行日　2023年6月30日　初刷1刷発行
　　　　2024年9月30日　第2刷
著　者　ダグラス・ラシュコフ
翻　訳　堺屋七左衛門
挿　絵　リーランド・パービス
発行者　鎌田純子
発売元　株式会社ボイジャー
〒150-0001 東京都渋谷区神宮前5-41-14
電話　03-5467-7070
FAX　03-5467-7080
infomgr@voyager.co.jp
http://www.voyager.co.jp

電子版ISBN978-4-86239-962-5
印刷版ISBN978-4-86689-328-0

表紙デザイン　木村真樹
印刷／製本　株式会社丸井工文社

本書は2020年5月に刊行した「ネット社会を生きる10ヵ条」
電子版を一部修正し、印刷版として出版しました。